ポケットマスター臨床検査知識の整理

検査機器総論

臨床検査技師国家試験出題基準対応

新臨床検査技師教育研究会 編

医歯薬出版株式会社

第2版

発刊の序

臨床検査技師になるためには，幅広い領域についての知識を短期間のうちに習得することが求められている．またその内容は，医学・検査技術の進歩に伴い常に新しくなっている．さらに，学生生活を締めくくり実社会に出ていくための関門となる国家試験はきわめて難関で，臨床検査技師を目指す学生の負担は大きい．

本書は，膨大な量の知識を獲得しなければならない学生に対し，効率的に学習を進めるために，そして少しでも勉強に役立つよう，学校での授業の理解を深め，平素の学習と国家試験対策に利用できるように配慮してつくられた．国家試験出題基準をベースに構成され，臨床検査技師教育に造詣の深い教師陣により，知っておかなければならない必須の知識がまとめられている．

「学習の目標」では，国家試験出題基準に収載されている用語を中心に，その領域におけるキーワードを掲載し，「まとめ」では，知識の整理を促すようわかりやすく簡潔に解説することを心掛けた．一通り概要がつかめたら，○×式問題の「セルフ・チェックA」で理解度を確認し，要点が理解できたら，今度は国家試験と同じ出題形式の「セルフ・チェックB」に挑戦してもらいたい．間違えた問題は，確実に知識が定着するまで「まとめ」を何度も振り返ることで確かな知識を得ることができる．「コラム」には国家試験の出題傾向やトピックスが紹介されているので，気分転換を兼ねて目を通すことをおすすめする．

持ち運びしやすい大きさを意識して作られているので，電車やバスの中などでも活用していただきたい．本書を何度も開き段階を追って学習を進めることにより，自信をもって国家試験に臨むことができるようになるだろう．

最後に，臨床検査技師を目指す学生の皆さんが無事に国家試験に合格され，臨床検査技師としてさまざまな世界で活躍されることを心から祈っております．

新臨床検査技師教育研究会

本書の使い方

1. 国家試験出題基準に掲載されている項目をベースに，項目ごとに「学習の目標」「まとめ」「セルフ・チェックA（○×式）」「セルフ・チェックB（国家試験出題形式：A問題（五肢択一式），X2問題（五肢択二式）」を設けています．“国試傾向”や“トピックス”などは「コラム」で紹介しています．
2. 「学習の目標」にはチェック欄を設けました．理解度の確認に利用してください．
3. 重要事項・語句は赤字で表示しました．赤いシートを利用すると文字が隠れ，記憶の定着に活用できます．
4. 「セルフ・チェックA／B」の問題の解答は赤字で示しました．赤いシートで正解が見えないようにして問題に取り組むことができます．不正解だったものは「まとめ」や問題の解説を見直しましょう．
5. 初めから順番に取り組む必要はありません．苦手な項目や重点的に学習したい項目から取り組んでください．

授業の予習・復習に

授業の前に「学習の目標」と「まとめ」に目を通し，復習で「まとめ」と「セルフ・チェックA／B」に取り組むと，授業および教科書の要点がつかめ，内容をより理解しやすくなります．

定期試験や国家試験対策に

間違えた問題や自信がない項目は，「まとめ」の見出しなどに印をつけて，何度も見直して弱点を克服しましょう．

検査機器総論　第2版

目　次

1　検査機器学総説

A　用手法と検査機器

用手法から機械化，EBM の実践へ

1．1950 年代

1950 年代において，臨床検査の測定はすべての部門において技術者達の手作業による用手法でもって行われていた．これを遂行するためには技術者の熟練と神業的技能が必要となり，いかに正確に，精度の良い検査結果が出せるかがその技術者の資質であった．

2．1970 年代

1970 年代から，臨床検査検体数が増加し，ヒトの手を借りず，より正確・精密・迅速に検査値を出すことに重点がおかれたことによって機械化が急速に進み，自動分析装置が登場することになった．

3．EBM の実践へ

その後，疫学などの科学的研究方法が導入され，論理的，客観的な事実に基づいた研究が要求されるようになり，科学技術はその応用として多様な分析方法が開発され，導入された．

臨床検査は，これらの応用技術によって，事実の積み重ねである定性的なおおまかな数値から，解析技術と再現性の進歩により定量的な値を正確に出すことができるようになり，科学的根拠に基づく医療〔Evidence Based Medicine（Clinical Laboratory）；EBM（EBCL）〕を実践するためには欠くことのできないものとなった．

自動分析装置

自動分析装置は血液や尿などの体液成分の量を測定するために開発された．それは高品質なデータを提供し，迅速な検査を行うことで患者サービスを向上させることと，検査の効率化を図り経済的にも貢献することを目的としている．

また近年，外来患者が診療前に検査をすませ，その結果をもって医師の診察を受ける診療前検査が広まってきている．そのため，臨床検査技師には，短時間で測定し，そして正確な値を出すことが臨床側から求められる．つまり自動分析装置の発展は大きく医療に貢献していることになる．

臨床検査の質の保証

1．臨床検査の作業プロセス

臨床検査における作業プロセスは，患者からの検体採取を含む検査前プロセス，検査プロセス，検査後プロセスに大きく3つに分けることができる．

検査前プロセスには，検体採取，前処理，搬送，検体受付，仕分け・保管までが入る．

検査プロセスとは精度管理を含め，実際の測定になる．

検査後プロセスには検査結果の確認・評価，報告，そして測定後の検体の処理・保存などの検体の管理，検査成績の保存，検査機器の保守管理などがある．

2．正確・精密な検査データの提供

近年これらの全過程において質の保証が問われるようになり，臨床検査室の第三者評価が導入され，正確なそして精密な検査データの提供が要求されている．

B 取扱い上の注意と心構え

検査機器の取扱いと心構え

1．総合的な十分な知識と技術の習得が必要不可欠

自動分析機器の取扱いについては，検査機器の構造と原理を十分理解したうえで正しく操作ができること，そして操作手順と同様に保守・点検・管理の方法についても習熟することが重要である．

そのためには機器の特性や取扱いだけを理解していればよいということではない．たとえば患者検査（生理機能検査）の心電図検査においては，心臓の構造（解剖組織学）と機能（生理学，生化学，ことに興奮伝導の機序など）および信号（活動電位）を増幅する方法，誘導

部位と電極の取扱い，心電計の構成と操作，心電図波形の判読などの知識と実践が必要となり，十分な知識や技術の習得が不可欠となる．

2．生理機能検査と検体検査

現在，臨床検査技師が行える生理機能検査は，すべてが機器を使用して測定するものである．そのため基礎医学である解剖組織学，生理学，生化学を修得したうえで，機器の特性を医用工学で学び，さらに疾患による異常の変化を臨床病態学で得ることになる．この一連の学びが機器取扱いの習熟には必要となる．

同様に検体検査では，検体採取から検査が始まるといわれるほど重要である検体採取の特殊性を理解し，個々の生体物質の定量分析のための原理・方法とそれを分析する検査機器の構造と取扱い，ならびに保守・点検が正しくできることが必要である．同時に病態生理学や病態生化学を理解したうえで，得られた**複合的結果の情報処理と解析・判断**ができる能力が求められる．

2 臨床検査技師の使命

1．検査機器の発展と臨床検査技師の役割

現在の臨床における臨床検査技師の使命は，技術を磨き，正確に迅速に検査値を出すことだけではなくなった．

迅速かつ精密で正確無比な機械にヒトは敵わない．それでは臨床検査技師は必要なくなったのかといえば，そうではない．検査機器が正常に機能しているか，試薬の劣化はないだろうか，精度管理はできているのだろうか，自動分析機器から出た値は真に患者の病態を反映しているのだろうか，異常値への対応や臨床医に対し，病態解析に必要なさらなる検査についてのアドバイスができるだろうかなど，臨床検査技師に委された役割はより多岐にわたるようになった．このことは，将来，臨床検査機器がさらに発展したとしても変わらないであろう．

とくに共通機械器具である**分離分析装置**，**測光装置**，**顕微鏡装置**，**電気化学装置**などは生命を測るための道具として欠くことのできないものである．その測定技術は分析科学の一つでもある．**臨床検査技師は分析科学を医療の現場で実践している職種であり，それが他の医療技術者にはもち得ない臨床検査技師としての特徴ともいえる．**臨床検査技師を未来永劫，医療の担い手として存続させるためには他の医療職にできないものを確立しなければならない．

2．分析科学と検査機器

臨床検査は分析機器の発達により誰にでもできる仕事になってしまった．そのため，まったく知識のない者が検査をしたとしても，一見すると臨床検査技師と同じ値を出すことができる．これでは他職種からみると臨床検査技師の価値はなくなってしまう．

そうならないためには臨床検査技師にしかできないことを確立し，質の保証された検査データの提供をしていくことが重要である．その一つとして，基礎として分析科学ならびに検査機器の知識を身につけることだと思う．分析科学は，工業化学や機械工学など，ものづくりに必要な基礎知識として理学・工学の分野で重要視されてきた．しかし，医療の分野においても分析科学の技術や知識をもっていることが，今後の臨床検査技師には必要不可欠になろう．

また，新たな臨床検査法の開発や研究を行うためにも，分析科学の理解が基礎知識として必要となる．

検査機器総論

臨床検査は，機器を操作することで正確で精密な検査結果を出すことができるようになりました．技術者として自らの技量が必要な検査項目が減り，検査機器を使用し，短時間で大量な検査を行うことができる時代となりました．そのため，臨床検査技師は，臨床検査共通機器および専門機器について，その構造と原理を理解しておく必要があります．

近年の国家試験では問題数は少ないものの，着実な知識をつけておけば容易に解ける問題が出題されています．取りこぼしのないよう知識の整理をしておきましょう．

2　共通機械器具の原理・構造

A　化学容量器

学習の目標

- □ ピペット
- □ 微量ピペット
- □ メスフラスコ
- □ メスシリンダ
- □ 検定公差
- □ 検定法
- □ 洗浄法

汎用容器

ビーカーやフラスコなどで，試薬類の混合，溶解，攪拌，反応などに使用される．

1．ビーカー

標準型のビーカーのほか，攪拌や滴定に適しているコニカル（円錐）ビーカー，試料の融解に用いる高形ビーカーなどがある．

2．フラスコ

口径が細くなっているため内容物の攪拌，混合に適している．用途によりさまざまな種類がある．

①三角フラスコ：一般的に使用されるフラスコで栓付きのものもある．

②丸底フラスコ：加熱が可能であり，蒸留装置に使われる．

③ナス形フラスコ：試料を凍結乾燥する際に使用される．

測容器

液体の体積を量り取るための器具を総称して体積計という．体積計には受用測容器と出用測容器がある．

1．受用測容器

受用測容器は，測容器に示す標線まで液体を入れた時に正確な量を示す．記号として TC（To Contain），In（Internal），E（Einguss）がある．

2．出用測容器

出用測容器は，測容器の標線まで入れた液体が排出される時に正確な量を示す．記号として TD(To Deliver)，Ex(External)，A(Ausguss) がある．

測容器の種類（図 2-A-1）

1．メスピペット

全容量と分量の体積の液体を量り取るときに用いる出用測容器である．中間目盛りと先端目盛りがある．

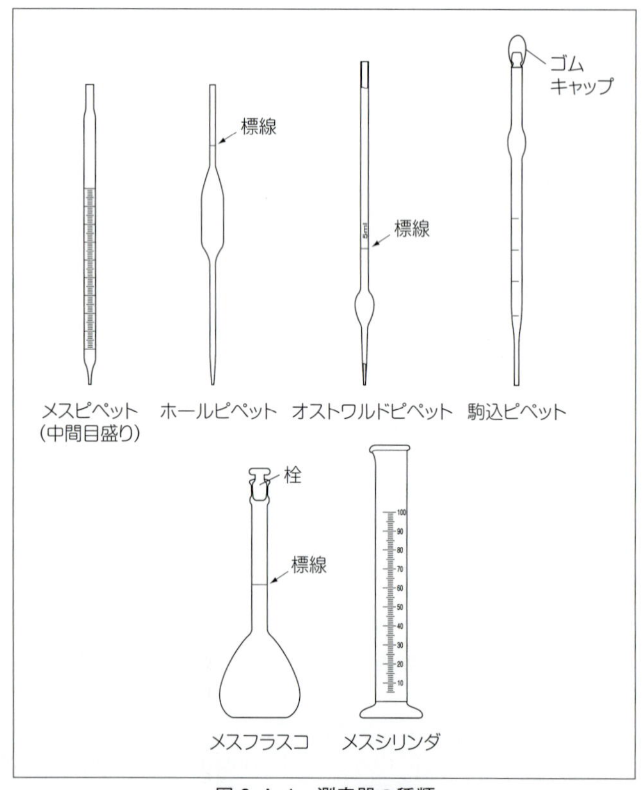

図 2-A-1　測容器の種類

2．ホールピペット

一定体積の全容量を移し取る際に用いる出用測容器である．

3．オストワルドピペット

ぬれ誤差が小さく，粘性の大きい試料（血清など）の採取に適している．

4．微量ピペット

微量ピペットは，微量の液体を採取するための専用ピペットで，マイクロピペットともいわれる．

チップを装着して使用するもので 0.1 μL〜10,000 μL の容量を量り取ることが可能である．マイクロプレート専用のマルチチャンネルピペットやピストンの上下を電動で行う電動式マイクロピペットなどがある（図 2-A-2）．

5．メスフラスコ

一定容積の標線のある栓付きの平底フラスコである．一般的には受用測容器である．

6．メスシリンダ

細かく目盛りが刻まれている円筒状の測容器である．全量および分量の体積の液体を採取できる．受用，出用の両方があるため確認が必要である．

駒込ピペット

駒込ピペットは東京都立駒込病院院長の二木謙三先生によって考案されたため，病院名をとって「駒込ピペット」と名づけられました．駒込病院は伝染病専門病院であったため，患者の検体を口で吸引するメスピペットなどは大変危険でした．そのため，ピペットにゴムキャップを用いて吸引するものが開発されました．

現在では正確に容量を量り取る道具ではなく，メスフラスコの標線を合わすために使用したり，大まかな量の液体を量り取るのに使われています．

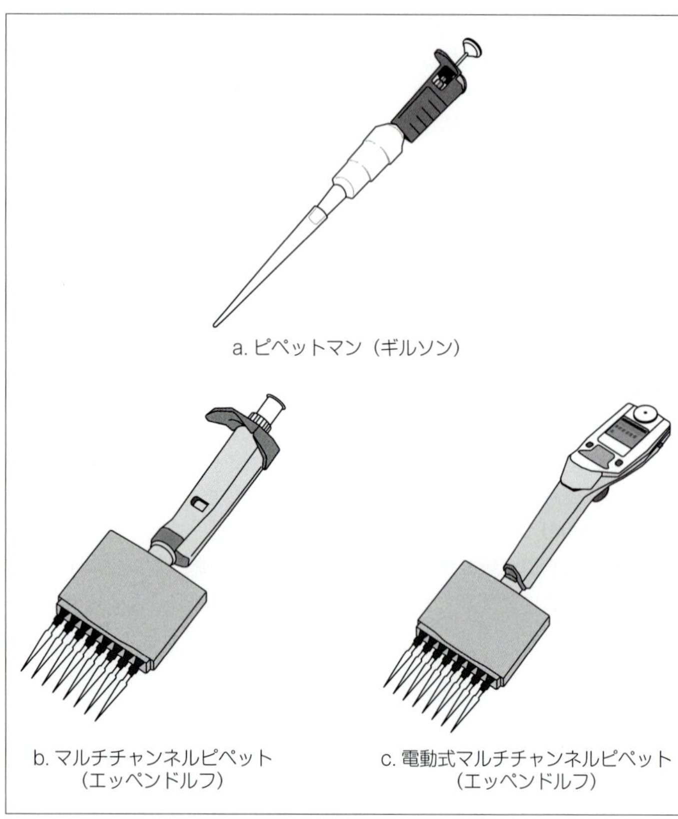

図 2-A-2　微量ピペットの種類

 検定公差

検定公差とは，測定器で液体を量り取るときの許容誤差であり，測定器の種類によって定められている．測定器の器差が検定公差を超えないことが重要である．

 検定法

測定器に記されている目盛りは，標準温度 20℃の水を測定したと

きの体積を示す．20℃以外の温度ではガラスや液体の膨張や収縮のために表示容積とは異なってくる．また，ガラスは時間とともに固化や結晶化が進むため正確な表示ではなくなる．そこで，測定器の容積が20℃の表示容積とどの程度ずれているのかを調べることを検定という．

6 洗浄

測定器は使用することで内部が汚れてくる．そのため使用の都度，洗浄することが必要である．

1．汚れの確認

使用したガラス器具は簡単な水洗いでよい場合もあるが，汚れによっては特性に応じた洗浄方法で汚れを落とす必要がある．

汚れの有無は測容器に水を入れ，その水を排出した後，水がガラス全面に広がるかどうか，水滴が残らないかどうかで判断する．水滴が残る場合には，水に溶解しにくい有機物質や金属塩，酸化物や脂質や蛋白質などが内部に付着していることが考えられる．

2．洗浄方法

ガラス器具の洗浄は，まず内容物の除去を行い，水道水ですすいだ後，中性洗剤やガラス器具洗浄剤に浸漬する．その後，必要があれば内部をブラシでこするが，ガラス面を傷つけないように気をつける．水道水で十分洗剤を落とし，その後，精製水ですすいで乾燥させる．過熱による乾燥はガラスの膨張・収縮を招くため，自然乾燥させる．

この他に超音波洗浄も行われる．

セルフ・チェック

A 次の文章で正しいものに○，誤っているものに×をつけよ．

	○	×
1. ビーカーで液体を量り取って試薬と混合した．	□	□
2. ナス形フラスコは耐熱性である．	□	□
3. 出用測容器の記号は TC である．	□	□
4. オストワルドピペットは粘性の低い液体の量を測定するのに用いられる．	□	□
5. ガラス器具の洗浄では内部は必ずブラシを用いて強くこする．	□	□

B

1．ガラス器具の取扱いについて正しいのはどれか．2つ選べ．

□ ① 新しいガラス器具は洗浄しないで使用してもよい．
□ ② 洗剤で洗ったガラス器具は十分すすぐ必要がある．
□ ③ 試薬水溶液を調製するときには必ず乾いた器具を使わなければならない．
□ ④ ガラス共栓の試薬びんは水酸化ナトリウムなど強アルカリの保存には適さない．
□ ⑤ メスピペットは急ぐときは乾燥滅菌器で高温で乾燥してもよい．

A 1-×（ビーカーは測容器ではない），2-○，3-×（TD である），4-×（粘性の高い血清などに用いる），5-×（一般的にはブラシは使用せず洗浄する．汚れが落ちない場合にはブラシを用いるが，強くこすらない）

B 1-②と④（①：新しいガラス器具も使用する前に洗浄する．②：洗剤が残っていると試薬と反応する場合がある．③：水溶液であれば精製水が残っていても問題ない．④：ガラス栓がアルカリで固着してしまう．⑤：ガラス器具を高温にさらすと，膨張・収縮を起こす）

2．出用測容器はどれか．**2 つ選べ．**

- □ ① ビーカー
- □ ② メスフラスコ
- □ ③ メスシリンダ
- □ ④ メスピペット
- □ ⑤ ホールピペット

3．100 mL の溶液を最も正確に計量できるのはどれか．

- □ ① ビーカー
- □ ② 駒込ピペット
- □ ③ メスフラスコ
- □ ④ メスピペット
- □ ⑤ メスシリンダ

4．容量 10 mL の計量器具を検定公差が小さい順に並べたのはどれか．

- □ ① ホールピペット＜メスシリンダー＜メスピペット
- □ ② ホールピペット＜メスピペット＜メスシリンダー
- □ ③ メスシリンダー＜メスピペット＜ホールピペット
- □ ④ メスピペット＜ホールピペット＜メスシリンダー
- □ ⑤ メスピペット＜メスシリンダー＜ホールピペット

2–④と⑤（①：ビーカーは試薬類の混合，溶解，攪拌，反応などに用いる．②：メスフラスコは受用測容器である．③：メスシリンダは受用，出用，両方ある），3–③（③：100 mL のメスフラスコを使用することで正確に計量できる），4–②（検定公差は測容器で液体を量り取るときの許容誤差をいう．10 mL 量り取る時の検定公差は，JIS R 3505 によるとクラス A でホールピペット±0.02，メスピペット±0.05，メスシリンダー±0.2 となる）

5．化学容量器の説明で正しいのはどれか．

- □ ① ガラス容器は超音波洗浄に適さない．
- □ ② 容量器に表示されている量は37℃の値である．
- □ ③ 純水を計量するとき標線はメニスカスの最上部に合わせる．
- □ ④ 一定量の溶液を作製するとき溶質は容量器の中で溶解する．
- □ ⑤ 検定公差が小さな容量器ほど一定体積の容量を正確に計量できる．

5–⑤（①：ガラスの洗浄に適している．②：容量器は20℃で表示容積になるように製造されている．③：メニスカスの最下部に合わせる．④：溶質はビーカーなどで溶解し，容量器の中では溶解しない）

B　秤量装置（天秤）

学習の目標

- □ 質量
- □ 重量
- □ 秤量
- □ 感量
- □ 感度
- □ 等比天秤
- □ 直示天秤
- □ 電子天秤

1 天秤に関わる用語

①質量：物体に含まれる物質の量を示し，天秤で測定される．

質量には重力との比として表す重力質量と物体のもつ慣性の大きさを表す慣性質量がある．天秤で測定できるのは重力質量である．質量はどこにあっても一定の値を示す．単位は kg で示す．

②重量：万有引力で生じる重力である．

重量＝質量×重力加速度［kg・m/s^2］で表される．

③秤量：天秤で正確に測定できる最大の質量．

④感量：天秤で測定できる最小の質量．

⑤感度：天秤が質量の変化を感じる程度．

2 天秤の種類

1．等比天秤

①等比天秤は化学天秤ともいわれ，精密な質量測定が可能である．測定が煩雑で手間がかかるため現在では使用されていない．しかし，天秤の原理を知るには適している．

②支点から左右の皿までの距離が等しいことから等比天秤とよばれている．秤量が大きくなると重心が下がり鈍感になるため，感量は低下する．そのため測定時の計量に応じて感度（1 mg の変化で動く目盛数）を求める必要がある．

2．直示天秤

①直示天秤は支点にかかる質量が一定であるため，秤量の大きさが変化しても感量は一定である．そのため毎回感度を求める必要が

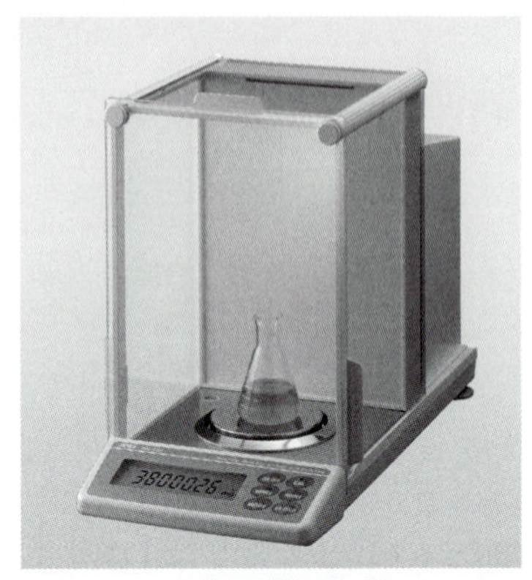

図 2-B-1 分析用電子天秤（株式会社エー・アンド・デイ：GH252）

ない.

②計量物をのせる皿の上部に環状分銅があり，被計量物の質量に合わせた分銅をダイヤルで取り外すことで釣り合った状態になる．すなわち取り除いた分銅の質量が被計量物の質量となる．

③この天秤も等比天秤とともに現在，使用されなくなった．

3．電子天秤（図 2-B-1）

①電子天秤は取扱いが簡便で精度がよく，現在臨床検査の現場で汎用されている天秤である．計量物にかかる重力を電磁力で釣り合わせ，その時の電流量を変換して質量を求める．

②電子天秤はその構造の違いから，電磁式，ロードセル式，音叉振動式，弦振動式に分類される．

(1) 電磁式電子天秤

電磁式は，計量物にかかる重力を電磁力で釣り合わせ，その時の電流値から質量を求める．

超精密天秤に用いられている．

(2) ロードセル式電子天秤

ロードセル（加重変換器）式は，ストレンゲージ（歪み計）の伸び縮みに応じて出力される電気量により質量を求めることができる（図 2-B-2）.

(3) 音叉振動式電子天秤

音叉振動子に荷重が加わると振動子の固有振動数が変化する．音叉

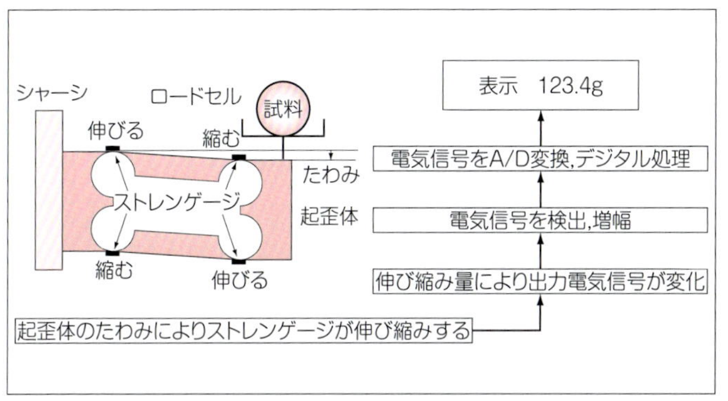

図 2-B-2　ロードセル式電子天秤の原理
（酒井健雄：最新臨床検査学講座　検査機器総論．三村邦裕・山藤　賢（編），医歯薬出版，2015，p22）

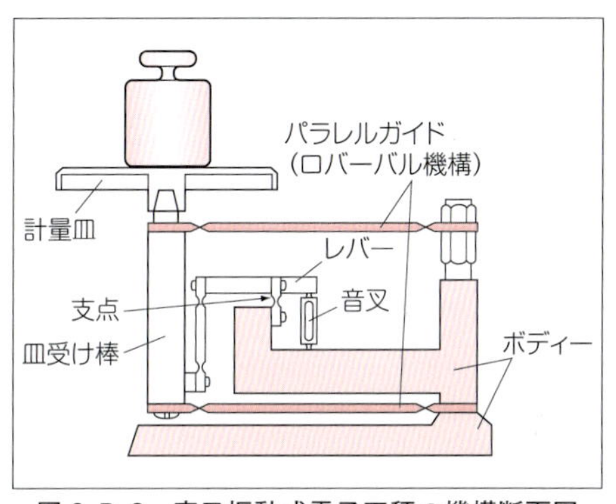

図 2-B-3　音叉振動式電子天秤の機構断面図
（酒井健雄：最新臨床検査学講座　検査機器総論．三村邦裕・山藤　賢（編），医歯薬出版，2015，p22）

振動式は，この振動数の変化から計算式を用いて質量を求める（図 2-B-3）．

(4) 弦振動式電子天秤

弦に大きな荷重がかかると振動数が高くなり高音となり，荷重を小さくすると振動数が低くなり低音となる．弦振動式は，この振動数の変化を電気的に検出して質量を求めるものである．

【注意】

電子天秤は測定場所，高度，重力差に影響を受ける．重力加速度の校正が必要である．電子天秤の設置には，①水平で振動がない，②温度変化が少ない，③熱や直射日光にあたらない，④適当な湿度（70～75%），⑤磁場がかからないなどの注意が必要である．

3 天秤の校正

①JCSS（計量法トレーサビリティ制度）に基づく分銅を用いて校正する．

②日常の定期点検のほか，偏置誤差の点検，直線性の点検，再現性の点検などを行う．

天秤

天秤は古くから使用され，古代エジプトの壁画にも描かれており，死者は審判を経てアアル（神話の楽園）に着くと再生できると信じられていました．死者の審判は「真実の羽根」を天秤の一方の皿に，他方の皿には死者の「心臓」をのせ釣り合いがとれれば，長く危険な旅を経てアアルに至ることができますが，生前の悪事は心臓に現れ，心臓の方が重くなれば楽園に行くことはできないというものです．紀元前 3000 年も前から，天秤が神事にまた生活に使われていたことは興味深いことです．

セルフ・チェック

A 次の文章で正しいものに○，誤っているものに×をつけよ．

		○	×
1.	重量とは物質固有の量である．	□	□
2.	秤量とは天秤で量れる最小質量である．	□	□
3.	感量は質量の変化を感じる程度である．	□	□
4.	感度とは天秤で量れる最小質量である．	□	□
5.	等比天秤に化学天秤がある．	□	□
6.	電子天秤は重力加速度の校正が必要である．	□	□
7.	化学天秤で秤量するときはフリーの状態で物質を加除する．	□	□
8.	化学天秤の読み取り限度は 0.1 mg である．	□	□
9.	ロードセル式電子天秤はストレンゲージの伸縮から質量を求める．	□	□
10.	電子天秤を明るい窓際に設置した．	□	□

A 1–×（[質量（物質固有の値）×重力加速度］で表される），2–×（天秤で量れる最大質量），3–×（天秤が応答する最小質量をいう），4–×（質量の変化を感じる程度），5–○，6–○，7–×（必ず竿の振れを止めて行う），8–○，9–○，10–×（直射日光の当たらない場所に設置する）

B

1．電子天秤について正しいのはどれか．2つ選べ．

- □ ① 高温多湿の場所に保管する．
- □ ② 気流の生じない場所で使用する．
- □ ③ 振動のない水平な台に設置する．
- □ ④ 認識できる最小の質量を秤量とよぶ．
- □ ⑤ 安全で正確に測定できる最大質量を感量とよぶ．

2．天秤について正しいのはどれか．

- □ ① 感量は測定できる最小量の質量をさす．
- □ ② 器差は検定したときの標準器との差をいう．
- □ ③ 秤量は正確に測定できる質量の範囲をさす．
- □ ④ ゼロ点は作動している天秤の振動が最終的に収束する位置をいう．
- □ ⑤ 公差は定感量型天秤で公認されている左右の竿の長さの差をいう．

3．精密測定ができる天秤はどれか．

- □ ① 化学天秤
- □ ② 直示天秤
- □ ③ 上皿天秤
- □ ④ 自動上皿天秤
- □ ⑤ 電磁式電子天秤

B　1–②と③（①：高温多湿の場所の保管は相応しくない．④：秤量は天秤で測定できる最大質量である．⑤：感量は天秤で測定できる最小質量である），2–①（②：器差とは測定試料から真の質量を差し引いた値．③：秤量は測定できる最大質量を示す．④：ゼロ点は空掛けの状態での静止点である．⑤：公差は分銅の質量で法定的に許容された誤差限度をいう），3–⑤（精度が高い精密天秤は電磁式電子天秤）

4．釣り合っている天秤の図を下に示す．
分銅の質量を 40 g としたとき物質 A の質量はどれか．
ただし，分銅と物質 A 以外の質量は無視する．

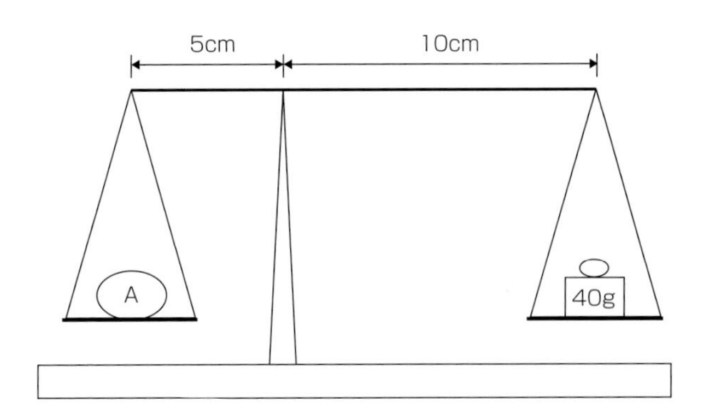

□　①　10 g
□　②　20 g
□　③　40 g
□　④　80 g
□　⑤　160 g

4-④（A g×5 cm＝40 g×10 cm より A の質量は 80 g）

C　遠心分離装置

学習の目標

- □ 回転半径
- □ 角速度
- □ 求心力
- □ 遠心力
- □ 比較遠心加速度
- □ 遠心分離
- □ 汎用遠心分離機
- □ 高速遠心分離機
- □ 超遠心分離機
- □ ヘマトクリット用遠心分離機

1 遠心分離装置に関わる用語（図 2-C-1）

質量 m の物体が毎分 n 回転する等速円運動をしているとき，

①回転半径：回転半径 r は，回転中心から回転する物質までの距離．

②角速度：角速度 ω は物体の回転の速さである．

$v = r \cdot \omega$

また，$v = 2\pi \cdot r \cdot n/60$ であるから，

$\omega = \pi \cdot n/30$

③求心力と遠心力：物体が円運動をしているときには運動方向に対して垂直に力が働いている．この中心に向かって働いている力を求心力（向心力）という．この求心力と同じ力が中心から外へ向かって働いていて，これを遠心力という．円運動するときには，

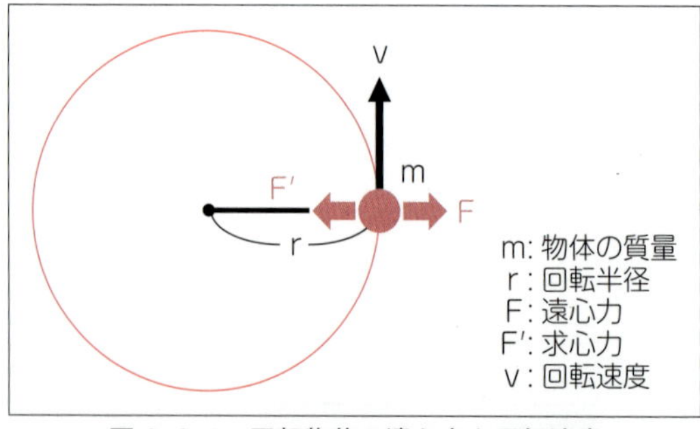

図 2-C-1　回転物体の遠心力と回転速度

求心力と遠心力は釣り合っている．遠心力Fは，

$F=m \cdot r \cdot \omega^2$

$\omega=\pi \cdot n/30$ より

$F=m \cdot r \cdot \pi^2 \cdot n^2/900$

よって，下記のことがわかる．

1）　遠心力は物体質量（m）に比例する．

2）　遠心力は回転半径（r）に比例する．

3）　遠心力は角速度（ω）の2乗に比例する．

4）　遠心力は回転数（n）の2乗に比例する．

④比較遠心加速度（relative centrifugal force；RCF）：比較遠心加速度zは重力加速度 g と比較して何倍の遠心加速度かで表す．

$z=\pi^2 \cdot r \cdot n^2/900 \cdot g=1.118\times10^{-5} \cdot r \cdot n^2$ ［×g］

2 遠心分離装置の種類と臨床検査としての利用

遠心分離機は，比重が異なる固体と液体，分散している液体などを遠心力で分離する機器である．

一般に1分間当たりの回転数（revolution per minute；rpm）により分類され，3,000～4,000 rpm以下のものを汎用遠心分離機，20,000 rpm程度のものを高速遠心分離機，20,000 rpm以上のものを超遠心分離機とする．

血液ヘマトクリット値を測定する専用のヘマトクリット用遠心分離機がある．

1．汎用遠心分離機

(1) 使用目的

①血清（血漿）分離

②尿沈渣標本作製

③細胞診標本作製

④細菌収集

⑤除蛋白操作，など

(2) 特徴

①回転数は3,000～4,000 rpmと遠心分離装置の中では低い．

②小型の卓上型と，分離容量が大きい床置き型がある．

③分離方法の違いによりロータは，傘型（アングルロータ）と懸垂型（スイングロータ）がある（図2-C-2）．

アングル（固定角）ロータ

バーティカル（垂直）ロータ

スイング（水平）ロータ

図 2-C-2　ロータの種類

（BECKMAN COULTER）

【注意】

①ロータやバケット（沈殿管ホルダ）は最高回転数が設定されている．

②すべてのロータにバケットを装着しておく．

③オートバランス式の遠心分離機であるが，大まかなバランスはとっておく．

④減速中のブレーキの設定はサンプルの舞い上がりなどに留意して，「急減速」，「緩減速」，「減速なし」などを設定する．

⑤回転中に異常な音や振動が発生した場合には遠心を中止する．

2．高速遠心分離機

(1) 使用目的

①生体試料からのミトコンドリアの分離

②蛋白質や酵素などの分離

③カイロミクロンなどの濁りの除去

④質量差の小さい細胞成分の分離

⑤核酸の抽出・精製，など

（2）特徴

①卓上型と床置型の高速冷却遠心分離機がある．

②200～400 μL の微量の試料の遠心には微量高速遠心分離機が用いられる．

③回転数は 5,000～20,000 rpm のため，空気抵抗により遠心槽内の温度が上昇する．これを防ぐため冷却装置がついている．冷却装置はロータ室を一定の温度にする装置で，酵素や蛋白質，核酸の温度による変性を防ぐ目的がある．

④ロータの種類には，アングル，スイング，バーティカルなどがある（図 2–C–2）．アングルは固定角のロータである．スイングは遠心すると水平となり，密度勾配遠心法に適している．バーティカルは垂直に維持するロータで大きな遠心力が得られる．

【注意】

①冷却装置は前もって電源を入れておき，ロータ室およびロータを一定の温度に冷却しておく．

②正確に試料のバランスをとる．

③ロータを遠心機の回転軸にセットする．

④冷却による水滴がロータやロータ室についている場合は乾いた布でよく拭く．

⑤目的の回転数になるまで異常が生じないか，遠心機のそばにいて確認する．

3．超遠心分離機（図 2–C–3）

（1）使用目的

①生物試料からのウイルスの分離

②ミトコンドリア，ミクロソーム，リボソームなどの細胞小器官の分離

③蛋白質，酵素，核酸の分離・精製

④リポ蛋白の分離

⑤受容体（レセプター）の解析，など

（2）特徴

①遠心法には，分画遠心法と密度勾配遠心法がある．分画遠心法は，溶媒に試料を添加して遠心し，溶媒より重ければ遠心管の下部に，軽ければ上部に目的物質が集まり分離できる．密度勾配遠心法は，ショ糖や塩化セシウム（CsCl）の溶媒を用いて遠心管の中で密度勾配をつくり，その上に試料を重層し超遠心すると，分離

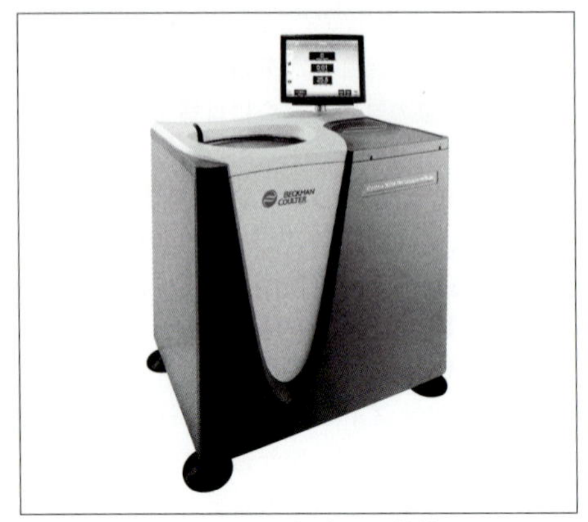

図 2–C–3　超遠心分離機
(BECKMAN COULTER)

する物質が溶媒の密度に応じて移動して層となり分離が可能となる．

②最大遠心加速度（RCF）は 200,000～800,000 *g*（最高回転数 100,000 rpm）が得られるよう設計されている．高速遠心分離機よりもさらに回転数を上げるためにロータ室内を真空にして空気抵抗を少なくしている．

③ロータにはアングル，スイング，バーティカル，ネオバーティカルロータなどがあり，分離目的に応じて使用する．

④冷却装置がついている．あらかじめロータおよびロータ室を冷却しておく．

【注意】

①遠心チューブに傷や変形がないか試料を入れる前に確認する．

②遠心チューブには試料を 3/4 くらいまで入れる．

③使用したロータは水道水で洗浄し，脱イオン水ですすいだのち乾燥させる．

④乾燥したロータの O リングやネジの部分には専用のグリースを塗っておく．

⑤超遠心分離機の使用に際しては日付，使用回転数，積算回転数，サンプル名，使用者などをログブックに記載する．

4．ヘマトクリット用遠心分離機

①ヘマトクリット値は，血液中に占める赤血球容積の割合を表したものである．

②ミクロヘマトクリット法で使用される遠心機がヘマトクリット用遠心分離機である．ロータは円盤状になっており，そこにガラス毛細管をはめ込む．

③回転半径 90 mm，回転数 11,000〜12,000 rpm（RCF：14,800 g），5 分で遠心を行う．

超遠心分離機を安全に使用するために

超遠心分離機は，最高回転数 100,000 rpm まで達するものも多くなりました．高速で回転させるために操作法を誤れば大事故につながることも考えられます．現在の装置にはフェールセーフやフールプルーフの考え方が導入され，たとえ過ちが起こったとしても安全装置が働くようになっています．

しかし，十分安全管理ができていたとしてもロータには限界があります．強い遠心力がかかるとそれに応じてロータ内に応力が生じます．そのためロータ合金の微細構造に亀裂が生じる可能性があります．また何回も使用することによる金属疲労や化学薬品による腐食も考えられます．

事故を起こさないためには，使用方法を理解し，保守，点検方法をマスターすることが大事です．また，使用記録簿（ログブック）に必要事項を必ず記載し，異常などがないかを使用者全員が共有する必要があります．

セルフ・チェック

A 次の文章で正しいものに○，誤っているものに×をつけよ．

		○	×
1.	遠心力は回転半径に反比例する．	□	□
2.	遠心力は物体の質量に比例する．	□	□
3.	遠心力は回転数の 3 乗に比例する．	□	□
4.	遠心力は角速度の 2 乗に比例する．	□	□
5.	尿沈渣標本作製に超遠心分離機を用いる．	□	□
6.	比較遠心力とは重力加速度と比較する．	□	□
7.	回転半径が同じとき回転数が 2 倍になれば遠心力は 4 倍に増加する．	□	□
8.	rpm は 1 時間当たりの回転数を表す．	□	□
9.	汎用遠心分離機には摩擦熱を防ぐために冷却装置が備わっている．	□	□
10.	懸垂型遠心分離機では沈殿は傾斜状に分離される．	□	□

A 1−×（回転半径に比例する），2−○，3−×（回転半径の 2 乗に比例する），4−○，5−×（汎用遠心分離装置を用いる），6−○，7−○，8−×（1 分間当たりの回転数），9−×（冷却装置がついているのは高速遠心分離機あるいは超遠心分離機である），10−×（水平状に分離される）

B

1．遠心力に直接**関与しない**のはどれか．

- □ ① 回転数
- □ ② 角速度
- □ ③ 回転半径
- □ ④ 物体の質量
- □ ⑤ 遠心管の容積

2．遠心力を表す式はどれか．ただし，遠心力：F，半径：r，角速度：ω，質量：m とする．

- □ ① $F=m \cdot r \cdot \omega^2$
- □ ② $F=m^2 \cdot r \cdot \omega$
- □ ③ $F=m \cdot r^2 \cdot \omega$
- □ ④ $F=m \cdot r \cdot \omega$
- □ ⑤ $F=m^2 \cdot r^2 \cdot \omega^2$

3．遠心分離機について**誤っている**のはどれか．

- □ ① 遠心管に傷がある場合には使用しない．
- □ ② 遠心管は回転軸と対称の位置にセットする．
- □ ③ スイングロータは密度勾配遠心法に使用される．
- □ ④ 超高速遠心分離機の場合，真空状態にしてから回転させる．
- □ ⑤ オートバランスの遠心分離機の場合はバランスをとる必要がない．

B　1‒⑤（遠心力は物体質量，回転半径，角速度の 2 乗，回転数の 2 乗に比例する），2‒①，3‒⑤（オートバランスの遠心分離機の場合でも大まかなバランスは必ずとっておく）

4．遠心力について正しいのはどれか．

- □ ① 回転数に比例する．
- □ ② 質量に反比例する．
- □ ③ 円周の接線方向に働く．
- □ ④ 回転半径に反比例する．
- □ ⑤ 角速度の 2 乗に比例する．

5．回転半径 R，回転数 N の遠心機の遠心力を A としたとき回転半径 $R/2$，回転数 $10N$ の遠心機の遠心力はどれか．

- □ ① $2.5A$
- □ ② $5A$
- □ ③ $20A$
- □ ④ $50A$
- □ ⑤ $100A$

4-⑤（①：回転数の 2 乗に比例する．②：質量に比例する．③：速度は円周の接線方向に働く．④：回転半径に比例する），5-④（遠心力 $A=m\cdot R\cdot \pi^2\cdot N^2/900$ になる．一方 $A'=m\cdot R/2\cdot \pi^2\cdot (10N)^2/900$ となるため，この比をとれば $50A$ となる）

D　分離分析装置――1）電気泳動法

学習の目標

- □ 電気泳動
- □ イオン強度
- □ 移（易）動度
- □ 電気浸透
- □ ジュール熱
- □ セルロースアセテート膜電気泳動
- □ アガロースゲル電気泳動
- □ ポリアクリルアミド電気泳動

1 電気泳動に関わる用語

①**電気泳動**：溶液中の電荷をもつ粒子に電場を与えると粒子の電荷とは反対の極に移動する現象.

②**移（易）動度**：溶液に 1 cm 当たり 1 V の電圧をかけた場合，**溶液中の荷電粒子が 1 秒間に移動する距離（cm）**をいう.

$U = C \cdot Q / \eta$

（U：移動度，C：定数，Q：電荷，η：粘度係数）

移動度を変化させるのは**緩衝液の pH**，**イオン強度**，**電圧**，**電流**，**ジュール熱**，**電気浸透**などがある.

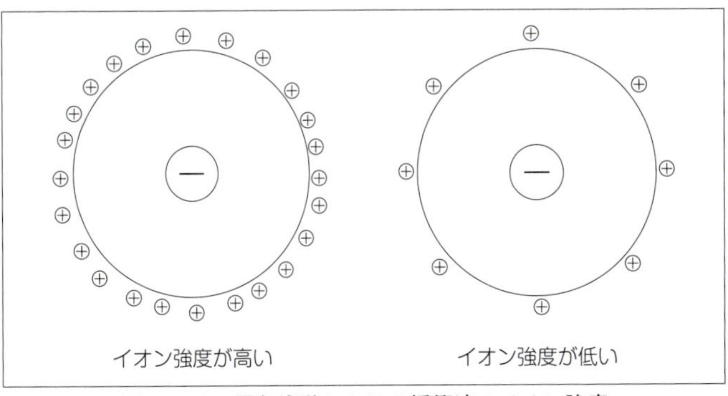

図 2-D-1　電気泳動における緩衝液のイオン強度

⊖：粒子の電荷，⊕：緩衝液中のイオン
イオン強度が高くなると移動度は遅くなり，イオン強度が低くなると移動度は速くなる.

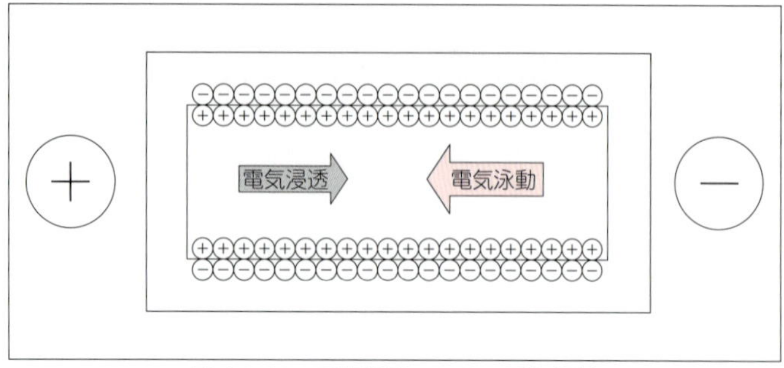

図 2-D-2 電気泳動における電気浸透
緩衝液は電気浸透により陰極側へ流れる．

③イオン強度（図 2-D-1）：緩衝液のイオン強度はイオンの濃度とイオンの原子価数から求められる．

$$\mu = \frac{1}{2}\Sigma\,(Ci \cdot Zi^2)$$

（μ：イオン強度，Ci：モル濃度，Zi：イオンの原子価）
イオン強度が高くなると移動度が遅くなるが，分離能が良くなる．
イオン強度が低くなると移動度は速くなるが，分離能は悪くなる．

④電気浸透（図 2-D-2）：支持体は負に荷電している状態で電圧をかけると陽極に移動しようとする．しかし，正に帯電した緩衝液が陰極の方向に移動するために支持体は動くことはない．この電気泳動とは逆の緩衝液の移動を電気浸透という．負に帯電した蛋白質は電気浸透の影響を受けながら陽極へ移動する．

⑤ジュール熱：電気泳動を行う場合，高電圧下では高電流が生じ，熱量が多く発生する．これをジュール熱という．過度な熱の発生は，蛋白質の変性や支持体の水分蒸発を起こす．
I＝E/R…オームの法則（I：電流，E：電圧，R：抵抗）
$H = RI^2$…ジュールの法則（H：熱量）

電気泳動の種類と臨床検査としての利用

電気泳動の種類は，分離の原理の違いによるものと支持体の違いによるものに大きく分かれる．

分離原理による分類には，自由溶液電気泳動法（チゼリウス）とゾーン電気泳動法があり，ゾーン電気泳動法にはゲル電気泳動，等電点電気泳動，免疫電気泳動，アフィニティ電気泳動，二次元電気泳動など多くの方法がある．

支持体による種類には，セルロースアセテート膜電気泳動，アガロースゲル電気泳動，ポリアクリルアミド電気泳動などがある．

支持体による種類

1．セルロースアセテート膜電気泳動法（図 2–D–3，4）

（1）特徴

①セルロースアセテート膜を支持体とする電気泳動法である．

②血清，尿，髄液中の蛋白質の分画を分離するのに使用される．蛋白質は固有の電荷を有するため，分離が可能である．アルブミン，α_1–グロブリン，α_2–グロブリン，β–グロブリン，γ–グロブリン分画に電気泳動像として検出される．

（2）原理

①蛋白質は等電点では電荷をもたないが，溶液を等電点よりアルカリ性にすると負に帯電し，酸性にすると正に帯電する性質をもつ．これを両性電解質という（図 2–D–5）．

②セルロースアセテート膜電気泳動ではベロナール緩衝液（pH8.6）を用いるため，蛋白質は負に帯電し，陽極に向かって移動する．移動度の違いにより各分画を分離できる．

二次元電気泳動

二次元電気泳動とは，蛋白質を 2 次元，つまり X 方向と Y 方向に 2 回電気泳動する分離方法です．一般的に，1 次元目は等電点電気泳動により蛋白質を X 方向へ分離し，2 次元目は SDS-PAGE により分子量で Y 方向へ分離します．これを用いることで蛋白質を数千以上のスポットに分離できるため，プロテオーム解析に適しています．

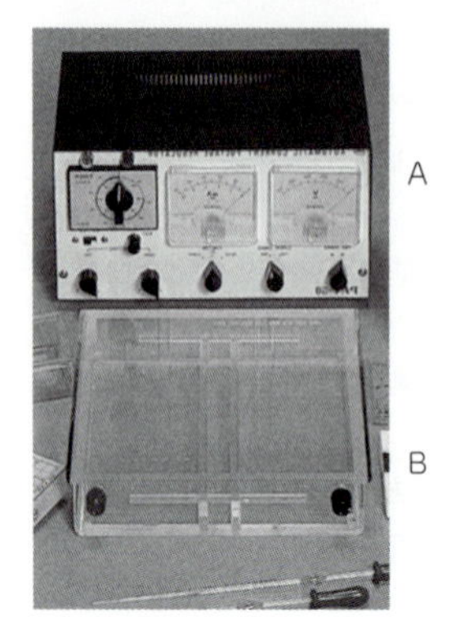

図 2-D-3　セルロース膜電気泳動　用手法の電気泳動装置（常光）
A：定電流・定電圧電源装置，B：泳動槽
（酒井伸枝：最新臨床検査学講座　検査機器総論．三村邦裕・山藤　賢（編），医歯薬出版，2015，p34）

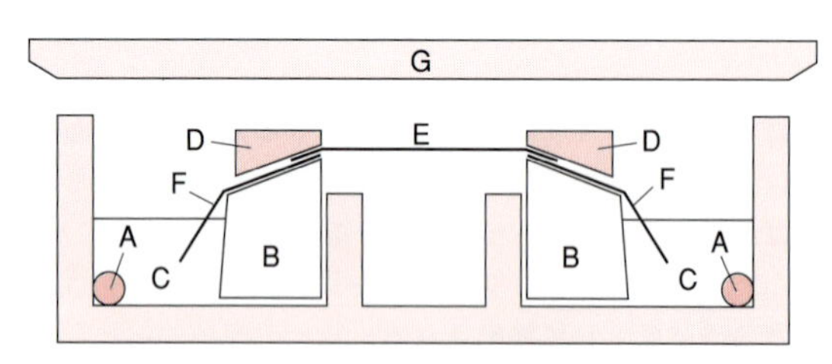

A：白金電極　B：支持板　C：陽・陰極槽　D：押さえ板
E：セルロースアセテート膜　F：電極用濾紙　G：蓋

セ・ア膜電気泳動とアガロース電気泳動のいずれも使用できる（E,Bをアガロースゲル用に変更）

図 2-D-4　セルロース膜電気泳動　電気泳動槽（図 2-D-3 の B）の断面図
（狩野有作・大谷英樹：セルロース膜電気泳動法　1．総論．「最新電気泳動実験法」日本電気泳動学会（編），医歯薬出版，1999 より改変したものを，酒井伸枝：最新臨床検査学講座　検査機器総論．三村邦裕・山藤　賢（編），医歯薬出版，2015，p34 より転載）

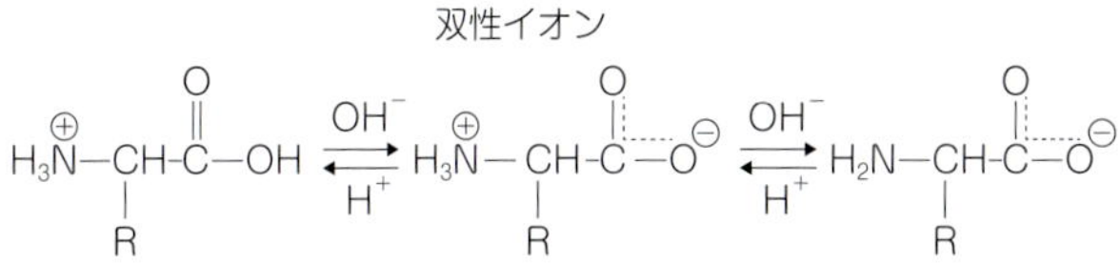

双性イオン

$$H_3\overset{\oplus}{N}-\underset{R}{CH}-\overset{O}{\overset{\|}{C}}-OH \underset{H^+}{\overset{OH^-}{\rightleftarrows}} H_3\overset{\oplus}{N}-\underset{R}{CH}-\overset{O}{\overset{\|}{C}}-O^{\ominus} \underset{H^+}{\overset{OH^-}{\rightleftarrows}} H_2N-\underset{R}{CH}-\overset{O}{\overset{\|}{C}}-O^{\ominus}$$

等電点より酸性側　　等電点　　等電点より塩基性側

図 2-D-5　蛋白質の両性電解質

（3）装置

電気泳動槽，定電圧・定電流電源装置からなる．

2．アガロースゲル電気泳動法

（1）特徴

①アガロースゲルを支持体とする電気泳動法である．

②血清蛋白，酵素のアイソザイム，リポ蛋白分画，免疫電気泳動，免疫固定法，DNA・RNA の分離などに使用される．

（2）原理

①支持体であるアガロースゲルは網目状立体構造をもっており，分子ふるい効果がある．

②分子ふるい効果において，小さな物質は速く，大きな物質は遅く移動するため，分子量に応じた分離を可能とする．

（3）装置

①電気泳動槽，定電圧・定電流電源装置，ゲル作製器からなる．

3．ポリアクリルアミドゲル電気泳動法

（1）特徴

①ポリアクリルアミドゲル電気泳動法は，アガロースゲル電気泳動法と同様に分子ふるい効果を利用して試料を分離する方法であるが，アガロースゲルよりもさらに分子ふるい効果が強く，蛋白質や核酸の分離に適している．

②核酸の塩基配列決定（シークエンス）や SDS-ポリアクリルアミドゲル電気泳動（SDS-PAGE），等電点電気泳動，二次元電気泳動で利用されている．

（2）原理

①ガラスなどのプレート間に作製したポリアクリルアミドゲルを垂

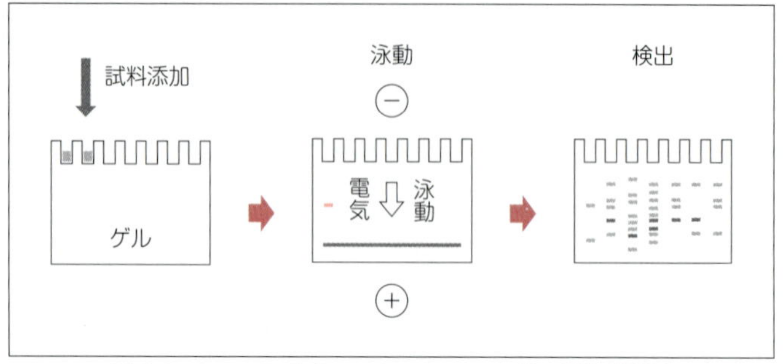

図 2-D-6　スラブポリアクリルアミドゲル電気泳動法
（アトー株式会社：スラブゲル電気泳動解説書より一部改変）

直に立てて電気泳動する方法をスラブ電気泳動という（図 2-D-6）.

②緩衝液などに溶解した核酸や蛋白質をポリアクリルアミドゲルに添加し，緩衝液中で一定時間電気泳動すると，サイズや分子量，荷電，立体構造などに応じて移動度が異なり，分離することができる.

③核酸は緩衝液中で負に荷電しているため，電場を与えると陽極に引かれて移動する．ゲルの分子ふるい効果により，核酸の分子量に応じた移動度を示す.

④蛋白質は緩衝液の pH によって正にも負にも帯電するため，ドデシル硫酸ナトリウム（SDS）の陰イオン性界面活性剤を蛋白質に結合させることにより，蛋白質を負に帯電させ陽極に移動させる.

(3) 装置

・アガロースゲル電気泳動装置と同様に，電気泳動槽，定電圧・定電流電源装置，ゲル作製器からなる.

【注意】

・アクリルアミドは神経毒があるため，ゲル作製の際には取扱いに注意する.

セルフ・チェック

A 次の文章で正しいものに○，誤っているものに×をつけよ．

	○	×
1. 移動度は荷電粒子の粘度係数に比例する．	□	□
2. 緩衝液のイオン強度が高くなると分解能は良くなる．	□	□
3. 緩衝液のイオン強度が低くなると移動度は遅くなる．	□	□
4. 電気浸透とは電気泳動とは逆の方向の緩衝液の動きである．	□	□
5. ジュール熱はイオン強度を増大させる．	□	□
6. 両性電解質とは脂質の特性である．	□	□
7. 等電点とは pH7 の水素イオン濃度を示す．	□	□
8. セルロースアセテート膜電気泳動は蛋白質の分子量測定に用いられる．	□	□
9. SDS-PAGE に用いるアクリルアミドには神経毒がある．	□	□
10. キャピラリー電気泳動では支持体は不要である．	□	□

B

1．DNA の分離に用いられる装置はどれか．

- □ ① デンシトメータ
- □ ② サーマルサイクラー
- □ ③ フローサイトメータ
- □ ④ シンチレーションカウンタ
- □ ⑤ アガロースゲル電気泳動装置

A 1-×（粘度係数に反比例する），2-○，3-×（移動度は速くなるが分解能は悪くなる），4-○，5-○（ジュール熱は，緩衝液の蒸発を招き，イオン強度を増大させる），6-×（蛋白質の特性である），7-×（正荷電数と負荷電数が等しくなる pH である），8-×（ポリアクリルアミド電気泳動を用いる），9-○，10-○（キャピラリー電気泳動は，無担体電気泳動で DNA シークエンサーで DNA の分離に用いられる）

B 1-⑤（①：デンシトメータは濃度計であり，電気泳動分析の定量に用いられる．②：サーマルサイクラーは PCR やサイクルシークエンシングに使われる．③：フローサイトメータは細胞の大きさや内部構造などを分析し，細胞集団を選別する装置である．④：シンチレーションカウンタは放射性同位元素の定量に用いられる）

2．電気泳動について正しいのはどれか．2つ選べ．

□ ① 等電点で電気泳動を行うと蛋白質の分離能が良い．
□ ② 免疫電気泳動は自由溶液電気泳動法の一つである．
□ ③ ベロナール緩衝液（pH8.6）では蛋白質は負に荷電する．
□ ④ ベロナール緩衝液（pH8.6）ではアルブミンは陽極側に移動する．
□ ⑤ 分子ふるい効果は分子の荷電の大小により分離することができる．

3．電気泳動で正しいのはどれか．2つ選べ．

□ ① イオン性物質の移動速度は電場の強さに比例する．
□ ② 支持体のゲルの濃度が高いほど蛋白質の移動度が大きくなる．
□ ③ 負に荷電した蛋白質は陽極から陰極に向かって泳動される．
□ ④ 等電点電気泳動では電極間に pH 勾配を形成させて蛋白質を分離する．
□ ⑤ セルロースアセテート膜電気泳動は分子ふるい効果によって分子サイズで分離する．

2-③と④（①：等電点では蛋白質は移動しない．②：免疫電気泳動はゾーン電気泳動法の一つである．⑤分子ふるい効果は分子の大きさにより分離することができる），3-①と④（①：イオン性物質の移動速度はイオンの電荷，電場の強さに比例する．②：ゲル濃度が高いとゲルの網目が小さくなり，蛋白質の移動度は小さくなる．③：陰極から陽極へ泳動される．④：等電点より酸性側の pH では陰極に泳動し，塩基性側の pH では陽極に泳動する．⑤：蛋白分子は負に帯電しており陽極に向かって移動する）

D　分離分析装置――2）クロマトグラフィ

学習の目標

- □ クロマトグラフィ
- □ ガスクロマトグラフィ
- □ 液体クロマトグラフィ
- □ ゲル濾過クロマトグラフィ
- □ イオン交換クロマトグラフィ
- □ アフィニティクロマトグラフィ

1 クロマトグラフィに関する用語

クロマトグラフィ：固定相と移動相の２つの相からなり，これらの相の物理化学的性質や生物学的親和性を利用して物質を分離する方法である．

2 クロマトグラフィの種類と臨床検査としての利用

移動相が気体のものをガスクロマトグラフィ，液体のものを液体クロマトグラフィという．

また，それぞれ固定相が液体のもと固体のものがあり，移動相–固定相の関係から，ガス–液体クロマトグラフィ，ガス–固体クロマトグラフィ，液体–固体クロマトグラフィ，液体–液体クロマトグラフィの４つに分類される．

さらに固定相支持体による分類では，カラムクロマトグラフィと薄相クロマトグラフィに分かれ，分離手法による分類からは，ゲル濾過クロマトグラフィ，イオン交換クロマトグラフィ，アフィニティクロマトグラフィ，逆相クロマトグラフィなどに分けられる．

1．ガスクロマトグラフィ（図 2–D–7）

①ガスクロマトグラフィ（gas chromatography；GC）は，揮発性の液体や気体の分離に適しており，臨床検査として農薬，薬物，自然毒などの中毒の分析に利用されている．

②特徴は分離能が高く，微量成分の測定に適しており，短時間で測定できることなどがあげられる．

③移動相のガスには，ヘリウムガス，窒素ガス，アルゴンガスなど

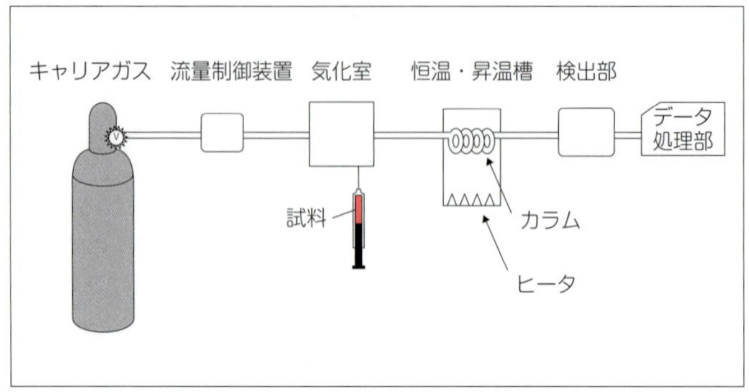

図 2-D-7　ガスクロマトグラフィの基本構造

の不活性ガスが用いられ，これらのガスとともに試料が固定相に移動する．

④固定相には固体と液体があり，固定相が固体の場合には充塡カラムが，液体の場合にはキャピラリー（毛細管）カラムが使用される．

⑤質量分析計（mass spectrometer；MS）を直結させた GC-MS が利用されている．GC で分離した成分を MS 中で生成された分子イオンや分解イオンのマススペクトルを測定するものである．

2．液体クロマトグラフィ（図 2-D-8）

①液体クロマトグラフィ（liquid chromatography；LC）は，固定相支持体の分類によりカラムクロマトグラフィ，薄相クロマトグラフィ，ペーパークロマトグラフィに分けられる．

②高性能で迅速に分析できる高速液体クロマトグラフィ（high performance liquid chromatography；HPLC）が主流である．

③HPLC は HbA1c を始め，アミノ酸の分析，血中薬物濃度，ホルモン，ビタミンなどの分析に利用されている．また，血清クレアチニンおよび尿酸の JSCC（日本臨床化学会）勧告法（実用標準法）として，二次標準血清の評定や日常一般法の正確さ評価に用いられている．

④HPLC 分離後，質量分析計で検出する LC-MS にも応用されている．

⑤HPLC の基本構成は 1）送液部，2）試料注入部，3）分離部（カ

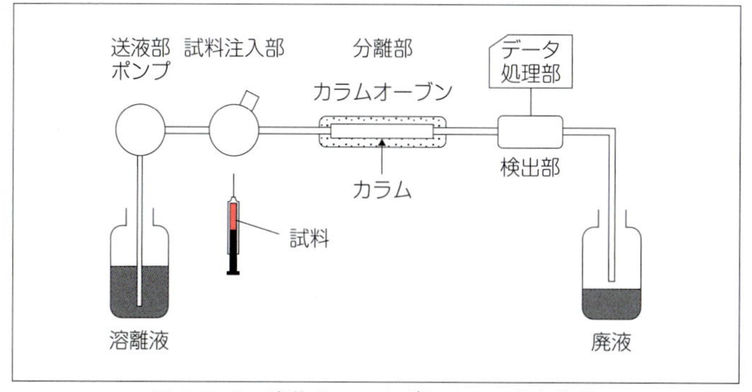

図 2-D-8　液体クロマトグラフィの基本構造

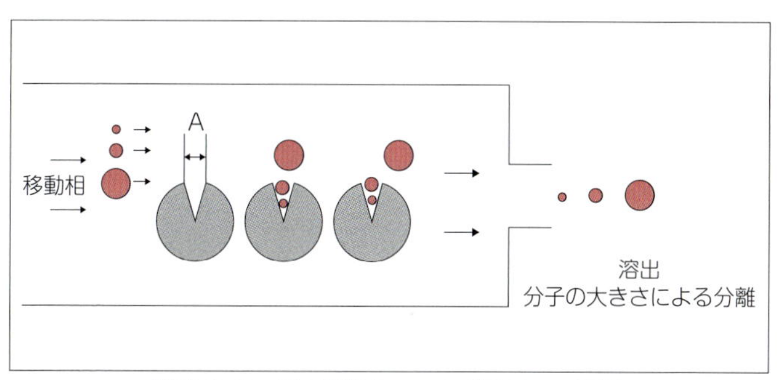

図 2-D-9　ゲル濾過クロマトグラフィの原理

ラム），4）検出部，5）記録部（データ処理）に分かれる．

3．ゲル濾過クロマトグラフィ（図 2-D-9）

①ゲル濾過クロマトグラフィは分離手法による固定相の分類で，カラムに充填された担体の中を蛋白質が通過する間に分子の大きさに従って分離する方法である．大きな分子は担体の分子内に入り込めずに初めに溶出され，小さな分子の場合は担体の中に浸透し大きな分子より遅れて溶出されるため，分離が可能となる．この原理は分子ふるい効果によるものである．

②担体は吸着性や反応性が低いポリアクリルアミドゲルやアガロースゲル，セファデックスゲルなど物理的・化学的に安定な多孔性

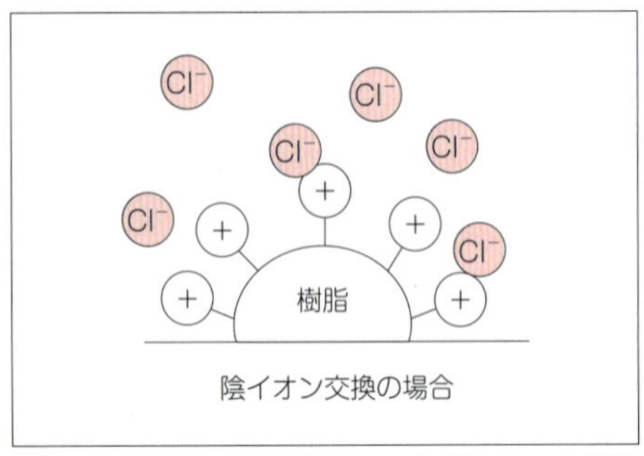

図 2-D-10　イオン交換クロマトグラフィの原理

の樹脂が用いられている．

③蛋白質の分離に用いられる．

4．イオン交換クロマトグラフィ（図 2-D-10）

①イオン交換クロマトグラフィは荷電基をもつ交換樹脂と反対の荷電をもつ蛋白質あるいはアミノ酸を静電結合させた後，それに対する対イオン（カウンターイオン）を移動相に含めて，交換樹脂に結合した蛋白質あるいはアミノ酸を対イオンと置換して溶出する方法である．

②水中の微量のイオンの定量に有効のため，主に水質の検査や酸性雨の検査に用いられている．

5．アフィニティクロマトグラフィ（図 2-D-11）

①アフィニティとは，ある物質どうしが特異的に結合する能力をいう．この特異的な親和性を利用したクロマトグラフィをアフィニティクロマトグラフィという．

②不溶性のマトリクス（支持体）に蛋白質に結合するリガンドを結合させ，特異的吸着体をカラムに詰める．混合サンプルをアプライするとリガンドに親和性のない分子は素通りし，親和性のある分子は吸着する．吸着された分子は pH を変化させたり塩濃度を高くしたり，またリガンドに対する競合分子を加えることで溶出される．

③特異性が高いために高純度のサンプルを得ることができる．抗体医薬の精製やプロテオソーム解析にも利用されている．

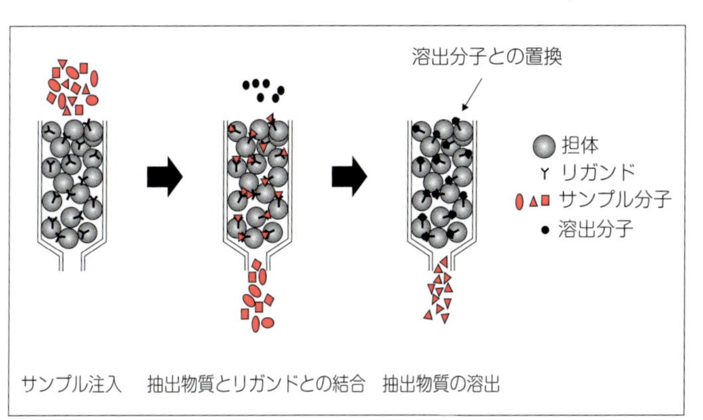

図 2–D–11　アフィニティクロマトグラフィの原理

A 次の文章で正しいものに○，誤っているものに×をつけよ．

	○	×
1. 液体クロマトグラフィは移動相にガスを用いる．	□	□
2. グリコヘモグロビンの検出には液体クロマトグラフィを用いる．	□	□
3. ゲル濾過クロマトグラフィは分子量の小さいものから排出される．	□	□
4. 抗原と抗体の結合を固定相に利用したものはアフィニティクロマトグラフィである．	□	□
5. ガスクロマトグラフィは高分子化合物の分離に適している．	□	□
6. ガスクロマトグラフィの試料は気化しやすいものでなければならない．	□	□
7. 液体クロマトグラフィには固定相が固体のものがある．	□	□

B

1．クロマトグラフィについて正しいのはどれか．2つ選べ．

□ ① HPLC の移動相は液体である．
□ ② ガスクロマトグラフィの固定相は気体である．
□ ③ HPLC はキャリアガスとよばれる気体を用いる．
□ ④ HPLC は難揮発性物質の成分分析に適している．
□ ⑤ ガスクロマトグラフィは高温で不安定な物質の分析に適する．

A 1−×（液体を用いる），2−○，3−×（分子量の大きいものから排出される），4−○，5−×（高分子化合物や高温で不安定な物質は用いられない），6−○，7−○

B 1−①と④（②：ガスクロマトグラフィの固定相には液体と固体がある．③：HPLC の移動相は液体．⑤：高温で安定な物質の分析に適する）

E　攪拌装置

学習の目標

- □ マグネチックスターラ
- □ 攪拌子
- □ スターラ
- □ ミキサー
- □ シェイカー
- □ ブレンダ
- □ ホモジナイザ

1 攪拌機

モータの回転を利用して液体を攪拌混和する機器である．

1．マグネチックスターラ

主に試薬の溶解や２成分以上の物質を速やかにかき混ぜ，反応条件を一定にするために用いられる．溶質と溶媒を入れた容器に磁性をもつ攪拌子（回転子）を投入し，磁石の付いた外部モータの回転によって，攪拌子を回転させ，溶液を攪拌させる（図 2–E–1，2）．

2．スターラ

主に大容量の液体や粘性の高い液体の混合に用いる．モータを用い回転翼（プロペラ）がついた攪拌棒を回転させ，回転翼を液中に入れて攪拌させる（図 2–E–3）．

2 ミキサー

①主に試験管内の溶液を混合する場合に用いる（図 2–E–4）．

②ゴム製の振盪ヘッドをモータの回転軸からずらして取り付け，回転ヘッドの円周運動を振動として試験管に伝えることで溶液を攪拌させる．振盪ヘッドとモータはベアリングを介して接続することで，振盪ヘッドの回転を防ぎ，モータの回転軸を中心とした円周運動のみを振盪ヘッドに伝えることができる（図 2–E–5）．

【注意】

・試験管内の溶液量は 1/3 程度に留めること．これ以上の液量では攪拌しにくく，飛散する危険があるので注意が必要である．

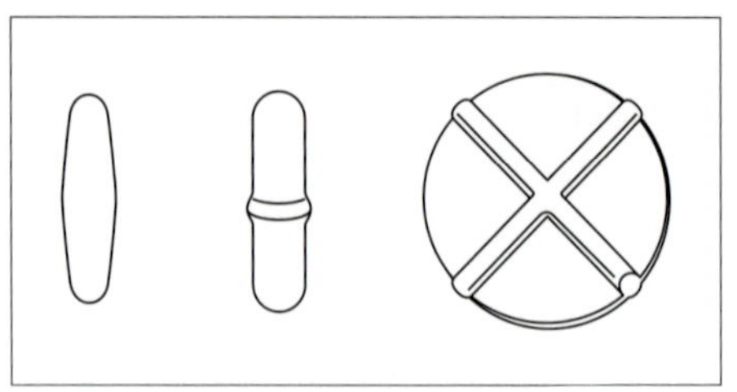

図 2-E-1　攪拌子（回転子）

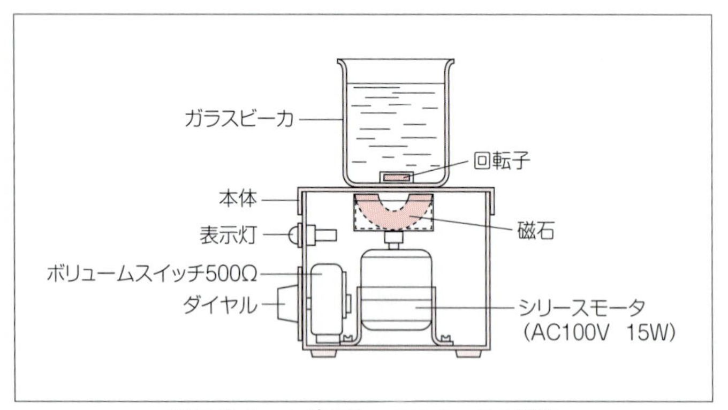

図 2-E-2　マグネチックスターラの構造
（山藤　賢・谷口智也：最新臨床検査学講座　検査機器総論．三村邦裕・山藤　賢（編），医歯薬出版，2015，p47）

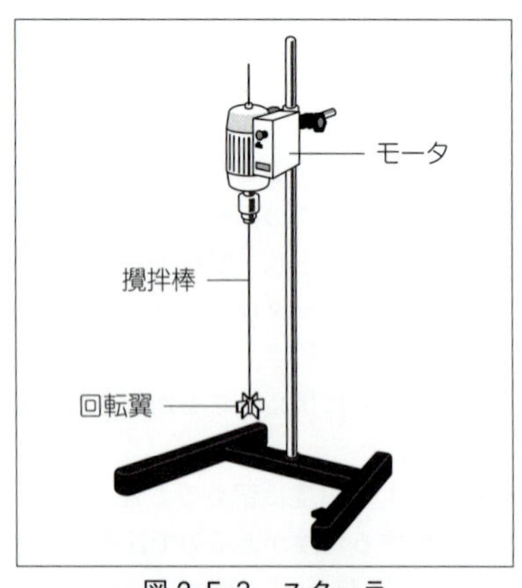

図 2-E-3　スターラ

図 2-E-4　ミキサー

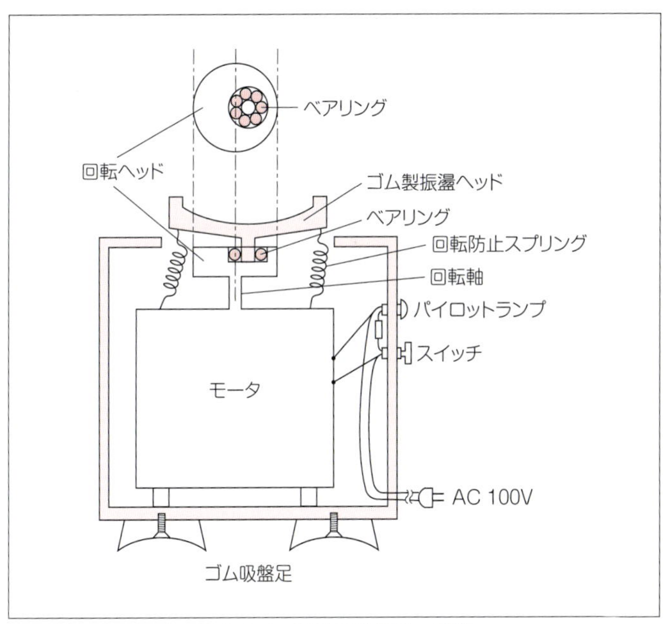

図 2-E-5　試験管攪拌機の構造

（山藤　賢・谷口智也：最新臨床検査学講座　検査機器総論．三村邦裕・山藤　賢（編），医歯薬出版，2015，p50）

シェイカー（振盪機）

①主に溶液の振盪に用い，用途別に専用振盪機がある．

②モータの回転運動を水平，垂直方向や円弧状の回転方向あるいは上下方向の往復運動に変換し，それを振動として溶液を振盪させる．

【注意】

・電気泳動後のゲルの染色・脱色に用いる場合，ゲルを破損させないよう振盪の強弱を調整する．

粉砕装置

主に組織や細胞を機械的に壊し，均一な混合物にするときに使用する．

ブレンダ式とホモジナイザ式があるが，いずれも操作中に熱が発生するため，冷却しながら粉砕する．

1．ブレンダ

スクリュー状のステンレス刃を高速回転させて対象物を粉砕する．

2．ホモジナイザ

摩擦棒を硬質ガラス製の容器に入れ，棒をモータで回転させながら，容器を上下させることで，対象物が棒と容器の空隙を通るときにすりつぶされる．

攪拌装置

攪拌装置は試薬を溶かしたり，混ぜ合わせる際に用い，実験・研究で必ず使用する機器です．そのため使用法や注意をきちんと理解する必要があります．実習で使用する機器の名前やどのような用途で使われるものかを，しっかりと確認しておきましょう．最近はマグネチックスターラも省略してスターラと呼ぶことが多いため，普段の呼称と本来の名称の違いも確認しましょう．

セルフ・チェック

A 次の文章で正しいものに○，誤っているものに×をつけよ．

	○	×
1. ブレンダは使用時に熱が発生する．	□	□
2. シェイカーは溶液の振盪に用いる．	□	□
3. ミキサーは撹拌子を用いて溶液を撹拌させる．	□	□
4. ホモジナイザは硬質ガラスの容器を回転させる．	□	□
5. ホモジナイザは対象物をすり潰し，物理的に粉砕する．	□	□

B

1．電気泳動後のゲルを染色する際に用いるのはどれか．

□ ① ミキサー
□ ② ブレンダ
□ ③ シェイカー
□ ④ ホモジナイザ
□ ⑤ マグネチックスターラ

A 1–○，2–○，3–×（撹拌子はマグネチックスターラで使用する），4–×（摩擦棒を回転させる），5–○

B 1–③（①：試験管内の溶液を混合する．②，④：組織などを粉砕する．⑤：2 成分以上の物質を混ぜ合わせる）

F　恒温装置

学習の目標

- □ 恒温水槽
- □ 孵卵器
- □ 乾燥器
- □ バイメタル式センサ
- □ サーミスタ
- □ 温度ヒューズ

1 恒温装置の原理・機能

①一定の温度環境を維持する装置である.

②一定の時間温度を維持する機能や温度を均一にするための攪拌機能，熱源から熱を伝える金属が備わっている.

③温度を維持するために，熱膨張率の異なる２種類の金属板を貼り合わせ温度上昇とともに金属が変形し，その変位によって電源の接点の開閉（on–off）を行うバイメタル式センサや，温度変化によって電気抵抗が変化するサーミスタを用いた電子式の温度調節器がある.

④空焚き防止のため，温度ヒューズを備えているものもある.

2 恒温水槽

①酵素反応，化学反応，免疫学的反応などの化学検査，血液凝固検査，培養実験など一定の温度下で行う検査や実験で広く使われる.

②水槽には，ヒータが備わり溜めた水を温め，温度計，温度調節器，循環式ポンプ，小型プロペラにより温度を一定に保つ.

③機器によっては 100℃を超える高温を設定できるものもあり，その場合は，水ではなくシリコンオイル（恒温油槽）を用いる.

【注意】

①水槽の水は槽内の細菌繁殖防止のため，使用しないときは排水する.

②水は徐々に蒸発するため空焚きに注意する.

3 孵卵器（インキュベータ）

微生物検査において，培地（培養液）に塗布した微生物を一定温度で培養するときに使われる．

電気孵卵器では，外気温〜50℃付近までの温度範囲で用いることができる．

目的によって，振盪機能や回転機能があるもの，ガラス窓のもの，冷凍機内蔵のもの，CO_2インキュベータがある．

1．CO_2インキュベータ

①庫内に炭酸ガスを導入して培養の pH 値を一定に保つ．

②炭酸ガス要求菌の培養に用いられる．

4 乾燥器

試薬の乾燥や水洗後のガラス・金属器具の乾燥に使用する．

1．定温式乾燥機

庫内の空気を自然対流させるものと，循環させる送風ファンを装備しているものがある．

2．熱風式乾燥機

庫内に強制的に熱風を送り込み迅速に乾燥させる．

【注意】

・庫内が高温になるため，乾燥終了後，温度が十分に下がってから器具を取り出すこと．

セルフ・チェック

A　次の文章で正しいものに○，誤っているものに×をつけよ．

		○	×
1.	培地による微生物の培養は乾燥器でも可能である．	□	□
2.	100℃を超える高温を設定する場合は恒温油槽を用いる．	□	□
3.	温度センサにはサーミスタを用いるものがある．	□	□
4.	バイメタル式センサは電気抵抗を利用したものである．	□	□

B

1．庫内の pH 値を一定に保つものはどれか．

□　①　電気孵卵器
□　②　恒温水槽
□　③　定温式乾燥機
□　④　熱風式乾燥機
□　⑤　CO_2 インキュベータ

A　1−×（培地が乾燥したり，適切な温度を維持できないため使用しない），2−○，3−○，4−×（熱による金属の変形を利用したものである）

B　1−⑤（①：温度と湿度を一定に保つ）

G　保冷装置

学習の目標

- □ 冷媒
- □ ゼーベック効果
- □ ペルチェ効果
- □ 霜取り

1 保冷装置の原理

冷却の方法には，冷媒の状態変化（液体⇔気体）を利用した方法とペルチェ（Pertier）効果を利用した方法がある．

1．冷媒を用いた方法

①気体冷媒を圧縮機（コンプレッサ）に吸入し圧縮する．圧縮された気体は高温・高圧になり，凝縮器（コンデンサ）に送り込まれ，コンデンサ内で水あるいは大気への放熱が起こる．低温になった気体冷媒は液化し，乾燥器（ドライヤ）から毛細管を通り減圧され気化しやすくなる．その後冷却器(エバポレータ)内で気化し，この時の気化熱により冷却器の周囲のものを冷却する．

②冷媒には，ノンフレオン（ノンフロン）冷媒のシクロペンタンやアンモニアが用いられる．フレオンはオゾン層の破壊の原因となることから，2020 年に全廃されている．

2．ペルチェ効果を利用した方法

①ペルチェ効果（ペルティエ効果）は，2 種類の金属導線の組合せで 1 つの閉じた回路に電流を流すと，1 つの接続点で熱の吸収が起こり，もう一方の接続点では熱の発生が起こる現象である．この熱の吸収を利用し，冷却効果を得ることができる．

②ペルチェ効果は，熱電対でみられる 2 つの接続点の間の異なる温

冷媒

冷媒とは，熱交換をするための機器で熱を移動させるために使用する物質です．物質が気体から液体に変わるときは熱を発し，液体から気体に変わるときは周りの熱を奪います．保冷装置は，この冷媒を利用し，庫内では熱を奪い温度を下げ，庫外では熱を放出させることで，低温を維持します．

度に応じた起電力が発生する現象［ゼーベック（Seebeck）効果］とは逆の現象である.

冷蔵庫

①各種検体（血液，血清など）や冷蔵保存の必要な試薬を保存する.
②0℃では検体や試薬が凍結し劣化を招く恐れがあるため，庫内温度は 2～10℃付近の設定ができるようになっている.

冷凍庫

①血清や酵素などの検体や試薬，ウイルスや培養細胞などの保管に使用する.
②−20℃～−150℃までの低い温度を設定できるものがある．−20℃～−30℃で使用できる低温フリーザ，−60℃～−80℃で使用できる超低温フリーザ，−150℃までの温度を設定できる極超低温フリーザがある.
③凍傷を防ぐために，庫内の操作は軍手など手袋を装着して行う.
④二重扉となっている冷凍庫の場合，内扉をしっかりと施錠しておかなければならない.

【注意】

①長時間の扉の開放は，庫内温度の上昇や霜が付着する原因となる．霜により密閉度が低下するため，霜取りを行う必要がある.
②扉を 1 度開閉すると外部から流入した気体が急速に冷却されるため体積が減少する．これにより庫内は陰圧になり，開閉直後では開きにくくなるため無理に開けようとしてはならない．陰圧解除ポート（穴）を設けている冷凍庫の場合は，これを開けることで扉の開閉がしやすくなる.

保冷装置

冷蔵・冷凍庫は，国試ではあまり取り上げられませんが，大切な酵素や検体を保管する機器です．きちんと管理しなければ保管されている酵素や検体が使い物にならなくなります．注意点をしっかりと確認しておきましょう.

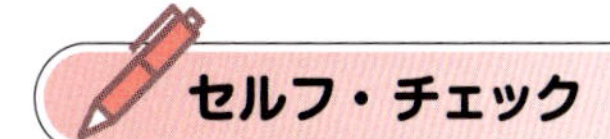

A 次の文章で正しいものに○，誤っているものに×をつけよ．

	○	×
1. 試薬は，超低温で保存するほうが冷蔵よりも長期保存できる．	□	□
2. ペルチェ効果は，2つの接続点の間の異なる温度に応じた起電力が発生する現象である．	□	□
3. 冷蔵庫は開閉時の温度上昇を考慮し，0℃に設定するほうがよい．	□	□
4. 保存容器に大量の試薬（液体）を入れると凍結時に容器の破損の恐れがある．	□	□
5. 冷媒にはシクロペンタンやアンモニアが用いられる．	□	□

A 1-×（試薬によっては凍結することにより劣化して保存に向かないものもある），2-×（ペルチェ効果は電流を流すと熱の吸収と放出が起こる効果である），3-×（凍結の恐れがあるので0℃にしてはならない），4-○，5-○

H 滅菌装置

学習の目標

- □ 乾熱滅菌装置
- □ オートクレーブ
- □ 酸化エチレンガス滅菌装置
- □ エアレーション
- □ プラズマ滅菌装置

1 滅菌装置の使用目的

①滅菌装置は，微生物を完全に殺滅または除去するための装置である．

②滅菌装置は，微生物検査における培地作製や器具の滅菌，医療器具，医療廃棄物の滅菌などに使用される．

2 乾熱滅菌装置

①乾燥状態で160℃以上の熱（乾熱）を加え滅菌する装置である．

②金属，ガラス製品，陶器や，湿熱では熱が浸透しにくい流動パラフィンなどの無水性の油脂の滅菌に用いる．

③通常の滅菌条件は「160℃で45分または180℃で15分以上の加熱」である．

④試験管は金属製のキャップをつけ，ピペット類は金属缶に入れ滅菌を行う．

⑤エンドトキシン（endotoxin：内毒素）はグラム陰性菌の細胞壁を構成するリポ多糖で，LPS（lipopolysaccharide）と呼ばれている．エンドトキシンは，単球・マクロファージを活性化し，エンドトキシンショックを起こす．高い耐熱性があるため，オートクレーブ処理ではエンドトキシンを失活することはできず，250℃以上の乾熱滅菌が必要である．

表 2-H-1　高圧蒸気滅菌の条件

滅菌温度	保持時間
121℃	15 分
126℃	10 分
134℃	3 分

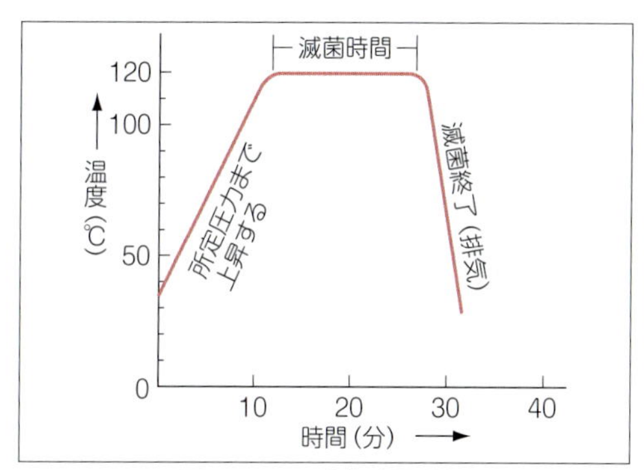

図 2-H-1　滅菌時間過程
（森田耕司：最新臨床検査学講座　検査機器総論．三村邦裕・山藤　賢（編），医歯薬出版，2015，p71）

3 高圧蒸気滅菌装置〈オートクレーブ〉

①高圧・高温の水蒸気（湿熱）によって，金属，ガラス，ゴム，陶器製の器具，培地の滅菌，不用になったプラスチック製容器（シャーレ）の滅菌に使用する装置である．

②細菌の芽胞を含めたすべての微生物を死滅させることができる．

③通常の滅菌条件は「121℃，2 気圧で 15 分の加熱」である．微生物学的に確立された滅菌温度と時間の条件は表 2-H-1 のとおりである．

④滅菌時間は所定の圧力（温度）に達してから起算し，終了時には圧力が下がるまで時間を要するため，実際の操作ではこれらの時間を考慮する必要がある（図 2-H-1）．

⑤基本構造は，高圧蒸気に耐える缶体と蓋，熱源装置，排気・排水装置，温度調節器，圧力調節器，圧力計および温度計である．

⑥蓋は圧力に耐える構造でハンドルを使って手動で強く締めるもの

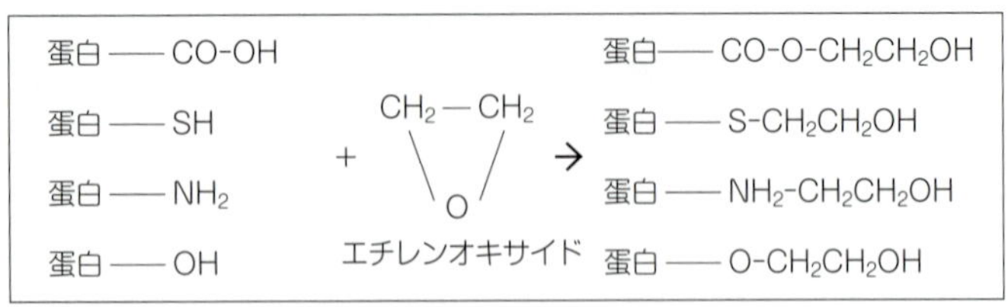

図 2-H-2　アルキル化

アルキル化とは，有機化合物の水素原子をアルキル基（C_nH_{2n+1}）で置換させることである．

とロック式のものがある．蓋の内側には蒸気漏れを防ぐための耐熱耐湿性のゴムがついている．

⑦空焚き防止装置や過電流防止装置，圧力異常防止装置，過加熱防止装置などの安全装置を装備しているものもある．

【注意】

①蒸気を発生させるために一定量の水が缶体に入っているか，蓋の開閉状態や蒸気漏れを防ぐゴムに異常はないか，排水タンクがある場合には一定量を超えていないかを使用前に確認する必要がある．

②終了時には，蓋を開ける前に内部の圧力が低下していることを確認する．

③被滅菌物内部に空気が残留すると，熱電導が不十分となり滅菌効果が低下する．

4 酸化エチレンガス〈EOG〉滅菌装置

①乾熱滅菌や高圧蒸気滅菌では滅菌できない材質（プラスチック，ゴムなど）の製品，光学機器，精密機器などを，気化したエチレンオキサイドガス（EOG）を使用して滅菌する装置である．

②EOG は，微生物内の核酸や蛋白質に作用し，不可逆的なアルキル化により不活性化することで微生物を殺滅する（図 2-H-2）．

③器具を腐食，変形，変性させないため，内視鏡などの工学機器やカテーテルなどの構造が複雑で管状のものやプラスチック製品の滅菌に有効である．

④滅菌装置は 50～60℃に加温する熱源と，40％の湿度を保つための装置を装備している．

【注意】

①終了時には真空ポンプによりフィルタを経由した除菌洗浄空気を庫内に入れ，空気洗浄（エアレーション）を行う．これはEOGに毒性があるためであり，50℃で12時間以上と時間を要する．

②EOGは引火性・爆発性を有しているため炭酸ガスを混合した状態である．EOGの混合比が高いものは，温度，圧力によって爆発の危険性があるため，操作する際には注意が必要である．

プラズマ滅菌装置

①滅菌時にプラズマを利用して滅菌する装置である．

②プラズマとは，気体の構成分子が電離し陽イオンと電子に分かれている状態である．

③プラズマ滅菌装置では，高真空の環境で過酸化水素分子を噴霧，拡散させ，高周波やマイクロ波などのエネルギーを付加させることでプラズマを発生させる．プラズマ発生時に生じる紫外線とフリーラジカルにより微生物を殺滅する．

④40～55℃，湿度が約10％であるため，非耐熱・非耐湿性のカテーテル類，ゴム製品，電子部品を含む精密な医療器具に使用することができる．

⑤EOGに比べ毒性が低く，滅菌終了後のエアレーションが必要ないため，短時間で滅菌が可能である．

【注意】

・過酸化水素を吸着する液体，粉末，セルロース製品の滅菌には適さない．

A 次の文章で正しいものに○，誤っているものに×をつけよ．

		○	×
1.	酸化エチレンガス滅菌ではエアレーションが必要である．	□	□
2.	プラズマ滅菌はプラズマにより微生物を殺滅する．	□	□
3.	酸化エチレンガス滅菌は室温で行うことができる．	□	□
4.	オートクレーブの通常の滅菌条件は「121℃，2 気圧で 15 分の加熱」である．	□	□
5.	オートクレーブの滅菌後は急速に減圧させる．	□	□
6.	γ線で滅菌された包装物は被爆の危険がある．	□	□
7.	高圧蒸気滅菌は芽胞を有する細菌に無効である．	□	□
8.	乾熱滅菌は培地の滅菌に有効である．	□	□
9.	濾過滅菌は血清に有効である．	□	□
10.	酸化エチレンガス滅菌はウイルスに有効である．	□	□

A 1–○，2–×（プラズマ発生時に生じる紫外線とフリーラジカルにより殺滅する），3–×（50～60℃に加温する），4–○，5–×（徐々に減圧させる），6–×，7–×，8–×（培地が乾燥するため使用できない），9–○，10–○

B

1．高圧蒸気滅菌（オートクレーブ）で正しいのはどれか．

- □ ① 液体培地の滅菌には使用できない．
- □ ② プラスチック製品の滅菌に適している．
- □ ③ 同温度・同時間の乾熱滅菌よりも滅菌効果が弱い．
- □ ④ 装置の温度を上げても滅菌に必要な時間は変わらない．
- □ ⑤ 被滅菌物内部に空気が残留すると滅菌効果が低下する．

2．滅菌について正しいのはどれか．

- □ ① 乾熱滅菌は 95～100℃で行う．
- □ ② 高圧蒸気滅菌は芽胞菌には無効である．
- □ ③ エチレンオキサイドガスは生体に無害である．
- □ ④ プラズマ滅菌はエアレーションが必要である．
- □ ⑤ 乾熱滅菌（250℃，60 分）はエンドトキシンを不活化できる．

3．酸化エチレンガス滅菌の特徴はどれか．

- □ ① 薬液の滅菌ができる．
- □ ② 160℃で 60 分間の加熱をする．
- □ ③ 絶対気圧 2 kg/cm^{2}以上に加圧する．
- □ ④ エチレンオキサイドガスには引火性がある．
- □ ⑤ 滅菌前に空気洗浄（エアレーション）を行う．

B 1–⑤（①：液体培地の滅菌に使用できる．②：不用のプラスチック製品に用いる．③：オートクレーブのほうが滅菌効果は高い，④：必要な時間は短くすることができる），2–⑤（①：160℃以上の熱（乾熱）を加え滅菌する．③：有毒である．④：エアレーションは酸化エチレンガス滅菌で行う），3–④（①：EOG は水に易溶で除去できないため，薬液の滅菌には使用できない．②：50～60℃で 60 分間の加温をする．③：加圧しない．⑤：滅菌後に行う）

I　測光装置

学習の目標

- □ 透過率
- □ 吸光度
- □ ランベルトの法則
- □ ベールの法則
- □ ランベルト・ベールの法則
- □ 分子（モル）吸光係数
- □ 分光光度計
- □ 原子吸光光度計
- □ 蛍光光度計
- □ 化学発光分析法

1 測光装置に関する用語

①**透過率**：溶液中に光を吸収する分子やイオンが多くあると，その分，透過する光の量は減少する．透過する光の割合を透過率という．この吸収される光の量と溶液中の分子あるいはイオンの濃度を測定する方法を吸光光度法という．

②**吸光度**：単色光が I_0 の強度の場合，透過光の強度を I とすると透過度（t），透過率（T）および吸光度（A）は

$$A = \log \frac{I_0}{I}$$

となる．$t = I/I_0$，$T = 100t$ をそれぞれ式に代入すると

$$A = \log \frac{1}{t} = \log \frac{100}{T} = 2 - \log T$$

となり，吸光度と透過率の関係を表すことができる．

③**ランベルト（Lambert）の法則**：試料濃度が一定であれば吸光度は，溶質の長さ（セル層長：l）に比例する．これをランベルトの法則といい，

$$A = -\log \frac{I}{I_0} = \kappa \cdot l$$

（κ：比例定数）
で表される．

④**ベール（Beer）の法則**：セル層長が一定であれば吸光度は濃度（c）に比例する．これをベールの法則といい，

$$A = -\log \frac{I}{I_0} = \kappa' \cdot c$$

（κ'：比例定数）
で表される．

⑤ランベルト・ベール（Lambert-Beer）の法則：ランベルトの法則とベールの法則の両者を合わせると，吸光度は試料の濃度とセル層長の積に比例するということになる．これをランベルト・ベールの法則といい，

$$A = -\log \frac{I}{I_0} = a \cdot c \cdot l$$

（a：吸光係数）
で表される．

⑥分子（モル）吸光係数：l を 1 cm，c を 1 mol/L とした時の溶液の吸光係数を分子（モル）吸光係数（ε）という．分子（モル）吸光係数は，感度を表し，値が大きいほど感度が高い分析法であることを示している．NAD（P）H の分子（モル）吸光係数は，6.3×10^3（L/mol・cm），SI 単位では 6.3×10^2（m^2/mol）となる．

2 測光装置の種類と臨床検査での利用

1 分光光度計

1．分光光度計の原理・用途

①この装置の原理は，前述の Lambert-Beer の法則に従い，光の種類と光の透過の度合いを利用した測定器である．

②溶液中の溶質の濃度を測るための定量分析として，臨床検査にとって欠くことのできない機器である．

③使用方法によっては物質の構造や特徴を知ることができる．

2．分光光度計の装置

分光光度計の基本構成は図 2-I-1 のように 1）光源部，2）波長選択部，3）試料部，4）測光・記録部に分かれる．

（1）光源部

①測定に必要な光を供給する部分である．

②紫外部の測定には，水素放電管や重水素放電管を 180～400 nm の連続光源として用いる．

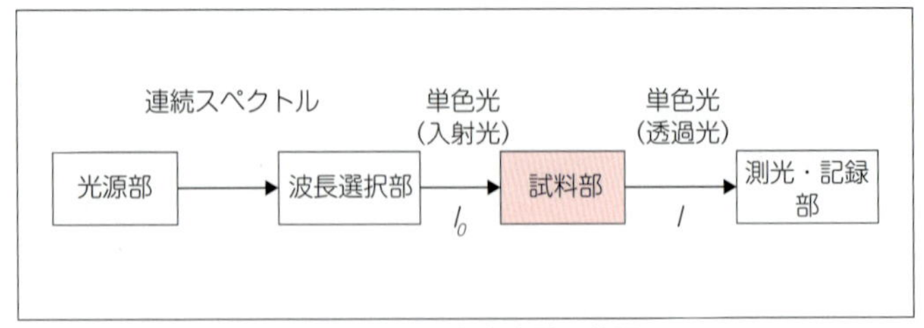

図 2-Ⅰ-1　分光光度計の装置

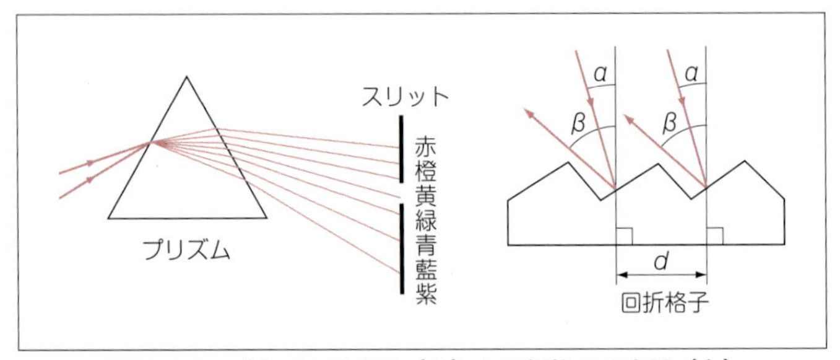

図 2-Ⅰ-2　プリズム分光器（左）と回折格子分光器（右）

③可視部の測定にはタングステンランプやハロゲンランプを 320～3,000 nm の連続光源として用いる．

④どの光源を用いる場合にも，光源の輝度を安定化させるための定電圧装置および定電流装置を必要とする．

（2）波長選択部

①光源部の光は種々の波長を含む連続スペクトルであるため，試料への入射光として必要な波長の単色光を取り出す必要がある．そのためにはフィルタあるいは分光器（monochromator）を用いる．

②フィルタは色ガラスフィルタ，干渉フィルタなどがあり，連続的な波長の選択ができないため，選択する光の波長ごとにフィルタを変えなければならない．

③分光器は，光源の光を分散させることにより，必要な波長（単色光）を出口スリットの位置を変えることで選択する装置である．これらは連続的に変化する波長を取り出すことができ，プリズム分光器と回折格子分光器がある（図 2-Ⅰ-2）．

(3) 試料部

①測定試料を入れたセルが試料部となる．通常は層長が 1 cm の角型セルが用いられる．

②セルには角形，試験管型，キャップ付角型，ミクロ型，フローセル型などがあり，その材質は，石英，ガラス，プラスチックがある．石英セルは紫外部，可視部両方で用いられるが，ガラスセルとプラスチックセルは紫外線を吸収するため可視部のみで用いられる．

③分光した光が試料部に 1 本のみ入射する単光束方式（シングルビーム方式：single beam system）と対照液と試料液の両者に互い違いに光が入射し，その差が厳密に測定できる二光束方式（ダブルビーム方式：double beam system）がある．

(4) 測光・記録部

①試料および対照の透過光の光エネルギーを電気エネルギーに変換して測定し，それを記録する部分である．

②測光部はフォトダイオード，光電池，光電管，光電子増倍管からなる．

2 原子吸光光度計

1．原子吸光光度計の原理・用途

①中性原子の蒸気にこれと同じ元素から放射されたスペクトル線を照射すると吸収が起こる．この現象を原子吸光という．

②原子吸光光度計はこの原理を利用して，試料中の金属元素を高感度で分析できる装置である．周期表の 2 族（Be，Mg），12 族（Zn，Cd，Hg）を高感度に分析でき，1 族（Li，Na，K，Rb，Cs）と 11 族（Cu，Ag，Au）がこれに次いで感度が良い．

③原子蒸気層に照射された入射光 I_0は原子に吸収され透過光 I となる．これは紫外可視吸光度法と同様に Lambert-Beer の法則が成り立ち，次式のようになる．

$$\log \frac{I_0}{I} = K \cdot c \cdot l$$

（K：吸光係数，c：溶液濃度，l：フレーム層の長さ）

④フレーム層の長さを一定にしておけば，吸光度はフレーム層に存在する基底状態の原子数に比例する．

⑤原子数は試料の供給速度，ガス圧，ガス流速，試料中の物質濃度

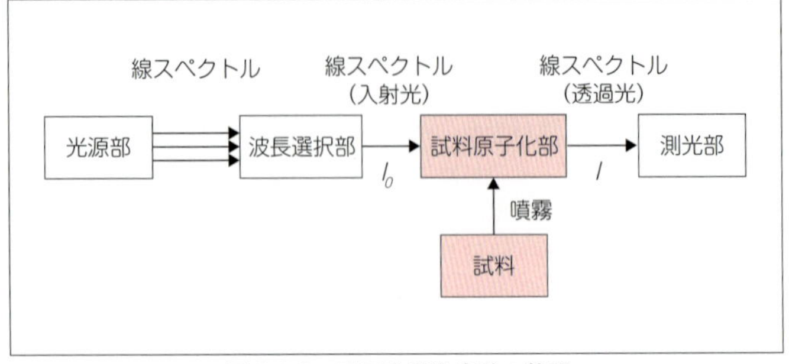

図 2-I-3　原子吸光光度計の装置

に依存する．

⑥血清中あるいは尿中の Zn，Cd，Hg などの微量元素の検出に用いられる．

2．原子吸光光度計の構造

装置は 1）光源部，2）波長選択部，3）試料原子化部，4）測光部からなる（図 2-I-3）．

(1) 光源部

①光源はほとんどの元素に対して中空陰極ランプが用いられる．中空陰極ランプは線幅が狭く，強力な共鳴線を発する．中空陰極ランプは陰極と陽極が希ガスと一緒に封入された放電管で，陰極は分析対象の元素あるいはその元素を含む合金でつくられ，不活性ガス（Ne，Ar など）が封入されている．電極間に直流電圧をかけるとグロー放電が生じ，陰極の原子がはじき出され，封入ガス原子や電子などと衝突して励起される．この励起原子が基底状態に戻るときに原子固有の波長の光を放射する．

②ヒ素，セレン，アンチモン，テルルの定量には，無電極放電管が光源として使用される．

(2) 波長選択部

①波長選択部は，中空陰極ランプから放射されたスペクトル線からフレーム中の原子に照射する光を選択する部分であり，回折格子やプリズムが用いられる．

(3) 試料原子化部

①試料原子化部（atomizer）は試料中の元素を原子蒸気層にする部分である．

②バーナーを用いてフレーム中で加熱するフレーム方式，電気加熱炉で加熱する電気加熱方式，水銀の測定を対象とした冷蒸気方式などがある．

(4) 測光部

①フレームを透過してきたスペクトル線は光電管，光電子増倍管によって電気信号に変換される．

②測光方式として，シングルビーム方式とダブルビーム方式がある．

3 蛍光光度計

ある種の物質はエネルギーを吸収すると熱を伴わずに光を発する．この現象を発光という．このエネルギーが光に変わることを光ルミネセンス（photo luminescence）といい，蛍光（fluorescence）とリン光（phosphorescence）がある．

これらの発光現象を利用して目的物質を定量する方法が蛍光分析法である．蛍光分析法は，吸光度分析法に比し高感度で測定できることや，目的物質を選択的に検出できるという特徴がある．

用途は，ホルモンや微量蛋白および薬剤など，血清中濃度が微量のため分光光度計では測定できない試料が対象となる．

1．発光の原理（図 2-I-4）

①物質の取りうるエネルギー状態は，量子化され振動・回転状態に応じてさまざまな準位として存在している．

②物質に紫外部から可視部の光を照射するとそのエネルギーを吸収して基底状態からさまざまな励起状態に遷移する．ここから基底状態の種々の振動・回転準位に遷移するときに蛍光が放射される．

③第一励起一重項状態から第一励起三重項状態に励起した場合，基底状態に戻る際にリン光が観察される．蛍光は物質に光が照射されている時だけ放射されるが，リン光は照射が停止された後も放射される．

2．蛍光強度

①蛍光強度は吸収した励起光の量に比例する．入射光の強さを I_0，透過光の強さを I とすると Lambert-Beer の法則が成り立ち，次式のようになる．

$$\log \frac{I_0}{I} = \varepsilon \cdot c \cdot l$$

（ε：吸光係数，c：溶液濃度，l：フレーム層の長さ）

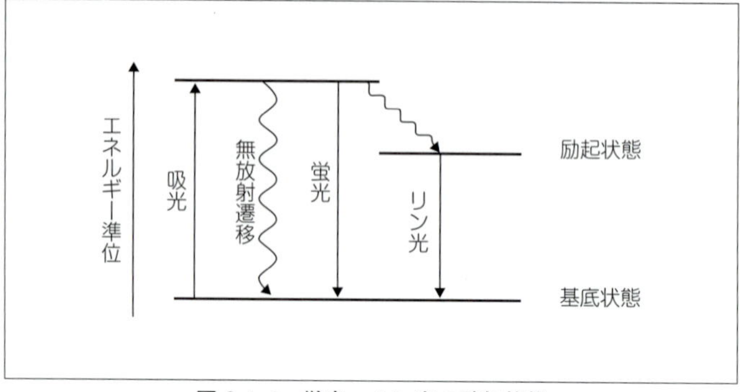

図 2-I-4　蛍光・リン光の励起状態

$I/I_0 = 10^{-\varepsilon cl}$ から吸収した光量は $I_0(1-10^{-\varepsilon cl})$ となる．

蛍光に変換する割合を ϕ（蛍光量子収率），蛍光強度 F，比例定数 k とすると

$$F = \phi k I_0 (1-10^{-\varepsilon cl})$$

この式を展開すると

$$F = \phi k I_0 (2.303\varepsilon cl)[1-(2.303\varepsilon cl)/2+(2.303\varepsilon cl)^2/6\cdots\cdots]$$

となる．

濃度 c が十分小さく，εcl も小さいときは次式に近似することができる．

$$F = \phi I_0 k \varepsilon cl$$

この式の結果，蛍光強度は濃度と比例することになる．

②蛍光強度に影響を及ぼす要因として次のものがあげられる．

1）濃度消光：蛍光物質の濃度が高くなると蛍光強度が低下する．

2）温度消光：高温では蛍光が低下する．特にリン光ではこの傾向が強い．

3）共存物質による消光：溶存酸素，ハロゲン，遷移金属イオンなどの存在で蛍光強度は低下する．

4）溶媒による消光：粘度の高い溶媒や溶質の分子間相互作用により蛍光強度が低下する．

3．装置

①蛍光光度計の装置は，1）光源部，2）分光部（励起側波長選択部），3）試料部，4）分光部（蛍光側波長選択部），5）測光部に

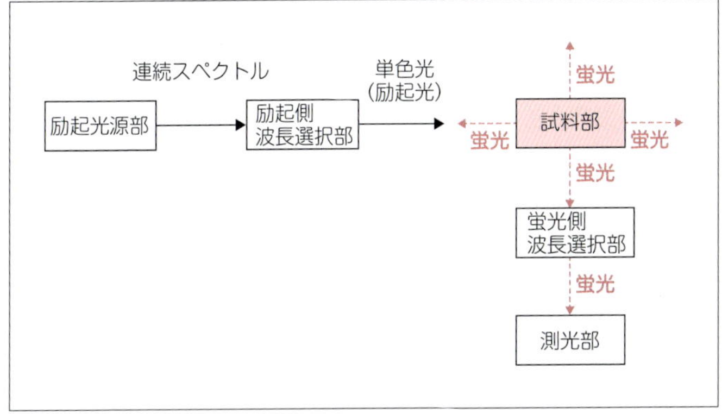

図 2-I-5　蛍光光度計の装置

分かれる(図 2-I-5). 試料部では4方向が透明の石英セルを用いる.

②蛍光光度計では, 励起光と蛍光の波長が異なるため, 励起側と蛍光側の両方に波長選択部が必要となる.

4 化学発光分析法

①化学発光とは, 化学反応により分子が励起状態となり, そこから基底状態に戻るときに吸収した化学エネルギーを光として放出する現象である. 放出する化学発光を測定する方法が化学発光分析法である.

②生物由来の物質で起こる発光（蛍やクラゲの発光やバクテリアの発光）を生物発光という.

③蛍光やリン光の場合, 光のエネルギーを吸収して起きる発光のため光源が必要であるが, 化学発光は光源が不要である. このため光源由来の散乱光などのノイズが小さく, 蛍光分析法よりも高感度の測定が可能である.

④測定装置は暗室内の試料部から発せられる光を光電子増倍管で検出する. 感度を上げるために光電子増倍管を冷却する.

⑤化学発光分析法の特徴は, 高感度な測定法で, 測定機器が簡単という利点があるが, 選択性が低いことや発光強度が溶媒や共存物質によって影響を受けやすいという欠点がある.

⑥蛍光光度計と同様に, 血清中の微量な物質の検出に用いられる.

セルフ・チェック

A 次の文章で正しいものに○，誤っているものに×をつけよ．

		○	×
1.	試料の濃度が高くなると透過率は増加する．	□	□
2.	透過率が上昇すると吸光度は減少する．	□	□
3.	Lambert の法則では試料濃度が一定の場合，吸光度はセル層長に比例する．	□	□
4.	Beer の法則ではセル層長が一定の場合，吸光度は溶液濃度に比例する．	□	□
5.	吸光度は溶液濃度とセル層長の積に反比例する．	□	□
6.	分子吸光係数はセル層長が 1 cm のとき 10 mol/L 溶液が示す吸光度である．	□	□
7.	分光光度計の可視部測定の光源に重水素放電管を用いる．	□	□
8.	紫外部測定にガラスセルを用いる．	□	□
9.	原子吸光光度計は金属元素の定量に用いられる．	□	□
10.	原子吸光光度計の光源部に水素放電管を用いる．	□	□
11.	原子吸光光度計は波長選択部で測定に必要な波長の単色光を選択する．	□	□
12.	蛍光強度は励起光強度に比例する．	□	□
13.	蛍光光度計はガラスセルを用いる．	□	□
14.	蛍光光度計では発光強度を測定する．	□	□
15.	蛍光光度計は物質の光の吸収を測定する．	□	□

A 1−×（透過率は Lambert–Beer の法則に従い減少する），2−○，3−○，4−○，5−×（比例する．これを Lambert–Beer の法則という），6−×（1 mol/L の溶液），7−×（タングステンランプかハロゲンランプ），8−×（石英セルを用いる），9−○，10−×（中空陰極ランプを用いる），11−○，12−○，13−×（4 方向が透明な石英セルを用いる），14−○，15−×（物質の発光を測定する）

B

1．分光光度計の測定原理で正しいのはどれか．

- □ ① 単色光を用いる．
- □ ② 赤色溶液では黄色が吸収される．
- □ ③ 溶液濃度が減少すると吸光度は増加する．
- □ ④ 光が通過する溶液層長が減少すると吸光度は増加する．
- □ ⑤ 測定波長は試験溶液の吸収スペクトルの変曲点とする．

2．分光光度計について正しいのはどれか．**2つ選べ．**

- □ ① 発光分析法の一つである．
- □ ② 光源には光電子増倍管を使う．
- □ ③ モノクロメータで光の波長を選択する．
- □ ④ Lambert-Beerの法則を利用した機器である．
- □ ⑤ ダブルビーム型は紫外部と可視部の同時測定ができる．

3．分光光度計の取扱いについて**誤っている**のはどれか．

- □ ① 紫外部吸収の測定にはガラスセルを用いる．
- □ ② 石英セルは広い波長域での測定が可能である．
- □ ③ セルの光路長確認は重クロム酸カリウム水溶液の吸光度測定を行う．
- □ ④ 複数セルを用いて測定する場合，吸光度の差が0.001以下のものを使う．
- □ ⑤ 波長目盛りの確認は重水素放電管など輝線スペクトルを利用して行う．

B 1-① （②：赤色溶液では青緑色が吸収される．③：濃度と吸光度は比例する（Beerの法則）．④：溶液層長と吸光度は比例する（Lambertの法則）．⑤：最大吸収波長で測定する），2-③と④ （①：吸光分析法．②：光電子増倍管は受光部で，光を電気信号に変える．⑤：ダブルビーム型は対照セルと試料セルに同時に光を入射させる．対照と試料を同時に測定するため光源強度の変動の影響を受けず，正確に測定できる），3-① （①：紫外部測定には石英セルを用いる．②：石英セル（200～1,300 nm）はガラスセル（340～1,200 nm）よりも広い波長域で測定が可能である．③：セルの光路長が10.0 mmになっているかを調べるには重クロム酸カリウム溶液を用いて吸光度を測定する．④：1個のセルに精製水を入れ，これを対照として精製水を入れた他のセルの吸光度を測定する．吸光度が0.001以下であれば問題ない．⑤：波長目盛りの校正は波長が既知の線スペクトルを放射する水素放電管，重水素放電管あるいは低圧水銀放電管の光源を用いて行う）

4．試料を気化して分析するのはどれか．**2つ選べ**．

- ☐ ① 炎光光度計
- ☐ ② 蛍光分光光度計
- ☐ ③ 原子吸光光度計
- ☐ ④ 二波長分光光度計
- ☐ ⑤ 液体クロマトグラフィ

5．原子吸光法では**分析できない**のはどれか．

- ☐ ① 塩　素
- ☐ ② カリウム
- ☐ ③ ナトリウム
- ☐ ④ カルシウム
- ☐ ⑤ マグネシウム

6．蛍光光度法について**誤っている**のはどれか．

- ☐ ① 吸光光度法よりも感度が劣る．
- ☐ ② 蛍光の強さは溶媒の pH の影響を受けやすい．
- ☐ ③ ルミノール反応は化学発光測定系に用いられる．
- ☐ ④ 蛍光物質濃度が高くなると蛍光強度は低下する．
- ☐ ⑤ 励起光側，蛍光側の両方に波長選択部が必要である．

4–①と③（①：炎光光度計は加熱し，原子を励起状態にし，基底状態に戻る時に発する光を測定する．②：蛍光分光光度計は発光される蛍光の強さを測定する．③：原子吸光光度計は炎中で原子化した状態の試料に分析対象と同じ元素から発生させた光を当てて吸光度を測定する．④，⑤：試料は気化させず液体のまま測定する），5–①（原子吸光法は金属元素の分析を行う．塩素は非金属元素），6–①（①：蛍光光度法は感度が高いこと，選択性に優れていることから微量成分の定量に用いられる．②：蛍光強度は pH に影響を受けるため，測定溶液の pH は一定に保つ．③：化学発光酵素免疫測定法はルミノール反応を利用して発光させる．④：この現象を濃度消光という．⑤：励起光と蛍光の波長が異なるため励起側と蛍光側の両方に波長選択部が必要である）

J 顕微鏡装置

学習の目標

- □ 実視野
- □ 開口数
- □ 焦点深度
- □ 分解能
- □ 位相差顕微鏡
- □ 暗視野顕微鏡
- □ 偏光顕微鏡
- □ 蛍光顕微鏡
- □ 収差
- □ 電子顕微鏡
- □ ディジタル撮影装置
- □ ノイズ

1 原理と構造

1．原理と構造

①光学顕微鏡は2つの凸レンズを組み合わせ，試料（標本）を拡大観察するものである．

②試料に近い凸レンズを対物レンズ，肉眼に近い凸レンズを接眼レンズとよぶ．

③試料は対物レンズで1～100倍まで拡大され，さらに接眼レンズにより8～15倍に拡大される．

④コンデンサ（コンデンサレンズ）：光源からの光を集めて対物レンズに送ることで試料面の照明条件や解像度を調節する働きがある．コンデンサ上下動ハンドルを操作することで，コンデンサの位置を調整することができる．尿沈渣の無染色標本などではコンデンサを下げることで観察しやすくなる．

2．倍率

①倍率は物体の大きさと結像した像の大きさの比で表され，対物レンズの倍率に接眼レンズの倍率を乗じたものとして表される．

総合倍率＝対物レンズの倍率×接眼レンズの倍率

3．実視野

①顕微鏡で観察できる試料上の大きさの直径を実視野という．

$$実視野=\frac{接眼レンズの視野数}{対物レンズの倍率}$$

②対物レンズの倍率が小さいほど，また接眼レンズの視野数が大き

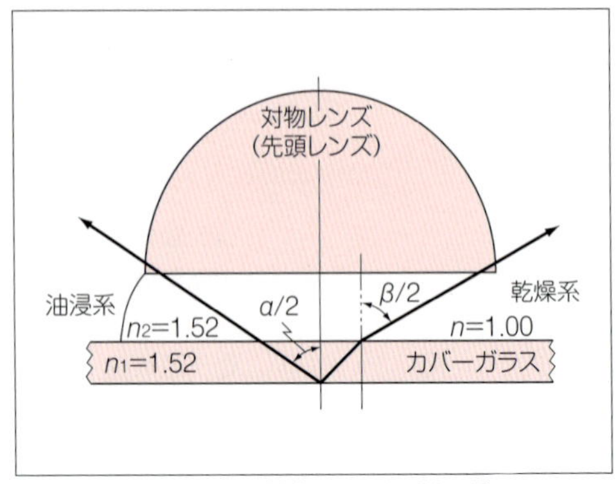

図 2-J-1　対物レンズの開口数

（三村邦裕・松村　聡：最新臨床検査学講座　検査機器総論．三村邦裕・山藤　賢（編），医歯薬出版，2015，p97）

いほど，実視野は大きくなる．

4．視野数

①実際の標本のどれだけの広さを鏡検しているのかをみるためには，視野数をそのときの対物レンズの倍率で割った数値に mm をつける．

視野数＝実視野の直径（mm）×対物レンズの倍率

5．開口数

①開口数（numerical aperture；N. A.）は，対物レンズやコンデンサレンズの性能を決めるのに重要な数値で，分解能や焦点深度，明るさに関係する．

開口数（N. A.）＝n×sinθ

（n：試料と対物レンズ先端の間の媒質がもつ屈折率で，乾燥系の場合 n＝1，油浸系の場合 n＝1.515，θ：対物レンズに入射する光線のなかで光軸と最大の角度をなす角）

②開口数が大きいほど明るさや分解能に優れ，性能もよく，レンズも明るい（図 2-J-1）．

6．焦点深度

①焦点深度とは，ピントを合わせた試料の上下（厚さ）にどのくらいの範囲までピントが合ってみえるかを示す数値である．

②開口数や総合倍率が大きいほど，焦点深度は浅くなる．

③開口数の大きな高倍率のレンズを使用すると，分解能は向上するが焦点深度が浅くなるため，コンデンサの開口絞りを絞るなどして調整が必要である．

7．分解能

①分解能は微細なところまで見分けられる能力のことで，標本中の見分けられる２点の最小距離を示す．

②分解能を高めるためには，より波長の短い光を用いるか，開口数を大きくすればよい．

8．作動距離

①作動距離とは，ピントを合わせたときの対物レンズの先端と試料表面までの距離をいう．

②10倍以下の対物レンズでは作動距離が5 mm以上あるので問題ないが，40倍以上だと0.5 mm以下になるため，レンズと試料が接触しないようにピント合わせは慎重に行う必要がある．

9．像の明るさ

①像の明るさは光源の輝度に比例する．

②対物レンズの開口数の２乗に比例し，総合倍率の２乗に反比例する．

10．レンズの収差

①収差は，レンズを通過した光により得られる像と理想的な像のズレのことをいい，これにより像がぼけたり歪んだりする．収差には光の屈折率が波長によって違うことにより，ズレて不鮮明になる色収差，波長ごとに生じる単色収差がある．

②色収差には軸上色収差と倍率色収差があり，この収差があると像周辺に色がつく．

③単色収差には球面収差，コマ収差，非点収差，像面湾曲，歪曲収差がある．

2 取扱い上の注意点

①顕微鏡を移動させる場合は，アームと底を持ち，持ち上げて動かし，振動や衝撃を与えないようにする．

②ほこりなどから守るために，使用しないときはカバーをする．

③倍率を変えるときはレボルバを使って回転させ，対物レンズを使って回転させてはならない．

表 2-J-1　光学顕微鏡の種類

種類	特徴	対象
普通顕微鏡	基本的な光学顕微鏡で，可視光を用いて観察する．	血液，病理，細胞診などの染色標本
位相差顕微鏡	物体の光の屈折率の違いにより観察する．	生きた細胞や微生物，尿沈渣，結晶など無染色標本
暗視野顕微鏡	標本に光を当て，その反射屈折，散乱した光を観察する．	スピロヘータなど無染色標本
偏光顕微鏡	複屈折性をもつ物質を観察する．	尿酸結晶など複屈折性をもつ粒子や組織の構造
蛍光顕微鏡	特定の光を照明することで標本から出る蛍光を観察する．	蛍光抗体法による標本，細菌などの蛍光染色標本
実体顕微鏡	標本をそのまま大きくして観察する．	細菌のコロニーや真菌の観察，寄生虫，臓器や細胞，昆虫

④焦点を合わせる場合は，標本から対物レンズを離す方向へ動かして調整する．

⑤対物レンズは低倍率レンズで焦点をあわせ，高倍率レンズへと換える．

⑥油浸レンズへのツェーデル油などは，使用後ただちに拭き取る．

⑦レンズには触れないようにし，指紋やホコリなどを付けないようにする．

⑧レンズの清掃は，ホコリはブロアーを用いて取り除き，油分は綿棒にレンズ清掃用不織布を巻き付け，洗浄液を染み込ませたもので取り除く．洗浄液には，無水アルコールか，エーテルとアルコールを 7：3 に混合したものを使用する．

⑨顕微鏡は湿気のない場所に保管する．レンズ類はカビ防止のため，デシケータに保管するのがよい．

3 顕微鏡の種類

試料を観察するために，さまざまな種類の顕微鏡がある（表 2-J-1）．

4 電子顕微鏡

1．電子顕微鏡の種類

①電子顕微鏡の種類には，透過型と走査型がある．

②透過型電子顕微鏡（transmission electron microscope；TEM）は，組織などをウルトラミクロトームで超薄切した標本を透過した電子線により観察することができる.

③走査型電子顕微鏡（scanning electron microscope；SEM）は，試料表面上を電子プローブで走査し，表面の組成と凹凸を観察することができる.

2．透過型電子顕微鏡（TEM）

①観察方法は，試料の採取→切り出し→固定→脱水→包埋→超薄切→電子染色→観察である.

②固定にはグルタルアルデヒド・四酸化オスミウム二重固定が用いられる.

③包埋には，エポキシ樹脂，メタアクリル樹脂，ポリエステル樹脂などが用いられる.

④薄切は，ガラスナイフやダイヤモンドナイフをつけたミクロトームで超薄切する.

⑤染色は，鉛やウラニウムなどの重金属で染色する．3％酢酸ウラニル溶液を用いて，室温で5～10分染色し，水洗後クエン酸鉛溶液で5～10分，後染色する.

3．走査型電子顕微鏡（SEM）

①観察方法は，試料の採取→固定→脱水→乾燥→導電性の付与→観察である.

②固定には四酸化オスミウム，グルタルアルデヒド，パラホルムアルデヒドが用いられる.

③乾燥は，液化炭酸ガスを用いる臨界点乾燥法とt-ブチルアルコールによる凍結乾燥法がある.

④生体試料では導電性が低いため，導電処理を行う．一般的に金，白金，カーボン，パラジウムなどを試料表面にコーティングする金属コーティングを行う.

5 ディジタル撮影装置

撮影装置は，臓器や組織標本を撮影し，画像として客観的な記録とその保存を目的に使用される.

近年では撮影装置のディジタル化が進み，撮影した写真はディジタルデータとして保管されるようになった.

1．撮影原理

①一眼レフカメラの場合，被写体からの光をレンズで収束し，シャッター幕が開くとイメージセンサに結像する．

②イメージセンサは光学像の情報を電気的信号に変換したのち，信号処理を経て画像データとして保存する．

2．焦点距離

①凸レンズの主点から結像点までの距離を焦点距離という．

②焦点距離が短いほど広い範囲を撮影できる．しかし，撮像素子の大きさによって，同じ焦点距離でも撮影できる範囲は異なる．

3．被写界深度

①被写体に焦点を合わせた時，立体的な被写体でも焦点を合わせた箇所とその前後でもぼやけずにはっきりと写真に写る．このピントが合っているようにみえる範囲のことを被写界深度という．

②被写界深度は，被写体までの距離，レンズの絞り，焦点距離で調整が可能である．

4．露出

①露出とは，撮像素子が捉えた光の量である．

②絞りとシャッタースピードを操作することで露出を調整する．

③露出は撮像素子の ISO の値によっても変化するため，露出の調整には，絞り，シャッタースピード，ISO の 3 つの要素を考慮する必要がある．

5．ダイナミックレンジ

①ダイナミックレンジとは，露出の寛容度（latitude）のことであり，被写体の明暗を画像の濃淡として再現できる範囲である．

②寛容度を超える明るさと暗さが混在する被写体では，明るい領域にダイナミックレンジを合わせると暗い領域は黒く潰れ，暗い領域にダイナミックレンジを合わせると明るい領域は白くとぶ．

6．ホワイトバランス

①ホワイトバランスとは，被写体の白の基準点を調整する機能である．

②色温度と色偏差を調整することにより，被写体本来の色を再現することができる．

7．画像（ディジタル写真）

①画像には，画像を色のついた点（画素：pixel）の配列で表現したラスタ形式と，線や面の位置座標と色の情報で表現したベクター

形式の2種類がある．

②ディジタル写真は，ラスタ形式が用いられる．

③ディジタルカメラで撮影した画像の色は，RGBカラーモデルによる色の表現法で再現される．これは赤（red），緑（green），青(blue)の3つの原色を組み合わせて表現する加法混合による色の表現方法である．

④色の濃淡は数値として表し，階調とよばれる．白と黒のみで表現されるモノクロの場合，2階調である．階調が多いほど色の変化を滑らかに表現できる．

⑤階調の値は，ビット（bit）で表すことも多い．n bitは2^nであるため，2階調は1 bit，256階調は8 bitである．

⑥一般的なディスプレイでは，R，G，Bそれぞれに8 bitずつ割り当てられているため256×256×256階調で1,677万7,216色の表現ができる．

⑦医用画像では，X線写真のようなグレイスケール画像を扱うことから，白から黒にかけて1,024階調や4,096階調をもった画像もある．

8．ノイズ

①ノイズとは，本来の被写体にはない画像の乱れのことである．

②カメラ機器によるノイズは，撮像素子に付着した細かなホコリや汚れが原因で起こるセンサスポットや，長時間露光の熱によって発生するノイズ，ISO感度を上げたことによる高感度ノイズなどがある．これらのノイズは，カメラの清掃，冷却，ISO感度の低感度への変更により改善する．

③他に画像データを保存するときの圧縮形式により発生するノイズもある．ブロックノイズは，JPEG方式の圧縮で発生するブロック状のノイズで，圧縮率を高めることで顕著に現れる．また，モスキートノイズも同様で，蚊のような小さな虫が飛び回っているようにみえるノイズが画像中の色の変化が激しい部分に発生する．圧縮によるノイズは，圧縮率を低くすることで，ノイズの発生を低減することができる．

セルフ・チェック

A 次の文章で正しいものに○，誤っているものに×をつけよ．

	○	×
1．光学顕微鏡で油浸レンズは青色のリングで識別する．	□	□
2．光学顕微鏡で総合倍率は接眼レンズと対物レンズの倍率の積で表される．	□	□
3．光学顕微鏡のピント合わせはステージを徐々に上げながら行う．	□	□
4．焦点深度が深いほど，ピントの合う範囲は狭くなる．	□	□
5．分解能は標本中の見分けられる2点の最大距離をいう．	□	□

A　1−×（白色．青色は40倍の対物レンズ），2−○，3−×（レンズと試料の接触を避けるためステージを下げながら行う），4−×（ピントの合う範囲は広くなる），5−×（最小距離をいう）

B

1．光学顕微鏡について正しいのはどれか．

- □ ① 開口数が小さいほど分解能がよい．
- □ ② 高倍率から低倍率の順で観察を行う．
- □ ③ 尿沈渣の観察はコンデンサを上げて行う．
- □ ④ コンデンサは検査目的により調節する．
- □ ⑤ 像の明るさは対物レンズの開口数の 2 乗に反比例する．

2．複屈折性をもつ結晶を観察するのに適する顕微鏡はどれか．

- □ ① 位相差顕微鏡
- □ ② 暗視野顕微鏡
- □ ③ 偏光顕微鏡
- □ ④ 蛍光顕微鏡
- □ ⑤ 実体顕微鏡

3．顕微鏡使用時にコンデンサを下げて観察すべきものはどれか．

- □ ① ヘマトキシリンエオジン染色標本
- □ ② Ziehl-Neelsen 染色標本
- □ ③ Wright-Giemsa 染色標本
- □ ④ 尿沈渣無染色標本
- □ ⑤ Gram 染色標本

B　1-④（①：開口数が大きいほど分解能がよい．②：低倍率から高倍率の順で観察を行う．③：コンデンサを下げて行う．⑤：開口数の 2 乗に比例する），2-③（③：尿酸結晶は複屈折性を有しているため偏光顕微鏡で観察できる），3-④（尿沈渣などの立体物ではコンデンサを下げることで観察しやすくなる）

K　電気化学装置

学習の目標

- □ pH メータ
- □ pH 指示電極
- □ 比較電極
- □ pH 標準液
- □ ネルンストの式
- □ 緩衝液の種類
- □ P_{CO_2}電極
- □ P_{O_2}電極
- □ 血液ガス分析装置

1 pH メータ

1 原理・構成

①pH メータは，pH 指示電極，比較電極，電位差計から構成される．

②pH 指示電極は，電極内部液と異なる溶液中に入れると，電極膜の内外に pH に応じた電位差を生じる．一方，比較電極の電位は一定であるため電位の基準となり，pH 指示電極で生じた電位との差を求めることで pH を電気化学的に測定することができる．

1．pH 指示電極

pH 指示電極には水素電極のほか，キンヒドロン電極，アンチモン電極，ガラス電極，イオン感応性電界効果型トランジスタ（ISFET）があるが，ガラス電極が一般的に用いられている．

(1) 水素電極（図 2-K-1）

①水素イオン濃度差とその間に生じる電位差の関係は，ネルンスト（Nernst）の式により求めることができる．

$$E_H = E_H{}^0 + \frac{2.303RT}{F}\log[H^+]$$

（E_H：電極電位，$E_H{}^0$：標準電極電位，R：気体定数，T：温度，F：ファラデー定数）

②水素電極の標準電極電位は $E_H{}^0 = 0$ V と規定されており，25℃ではネルンストの式により，

$E_H = 0.0591 \cdot \log(a_H{}^+) = -0.0591 \cdot pH$

[$a_H{}^+$：被検液の水素イオン活量（mol/L）]

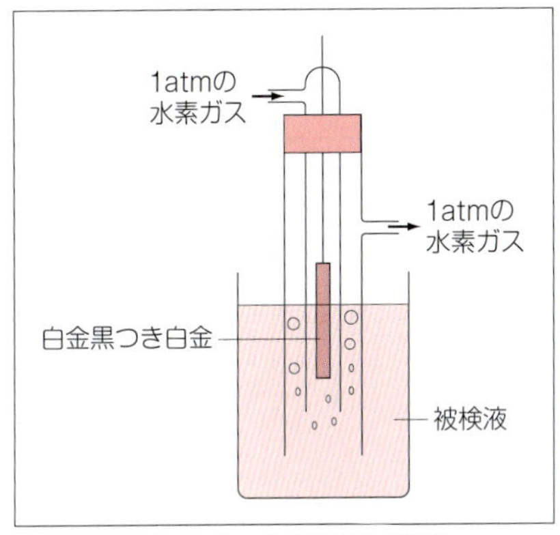

図 2-K-1　水素電極の構造
（鈴木優治：最新臨床検査学講座　検査機器総論．三村邦裕・山藤　賢（編），医歯薬出版，2015，p133）

したがって pH は，

$$pH = \frac{-E_H}{0.0591}$$

となる．

(2) ガラス電極

・ガラス電極は内部液に塩化カリウムを混合した中性緩衝液を使用し，内部電極に銀–塩化銀電極が用いられる．

2．比較電極

①比較電極には銀–塩化銀電極や甘汞電極があるが，近年では塩化銀電極が一般的である．

②比較電極には内部液に塩化カリウム溶液を使用し，比較電極と内部液が被検水に接する部分である液絡部がある．

③液絡部は多孔性セラミックであり，電気的に電極と接触し，溶液の急激な流出を抑制している．

④指示電極に比較電極を組み込んだ複合電極を使用することが多い（図 2-K-2）．

2 校正

①pH 測定は基準に対する相対値による測定であり，基準値を一定にする必要があるが，電極はガラスの状態などにより発生起電力

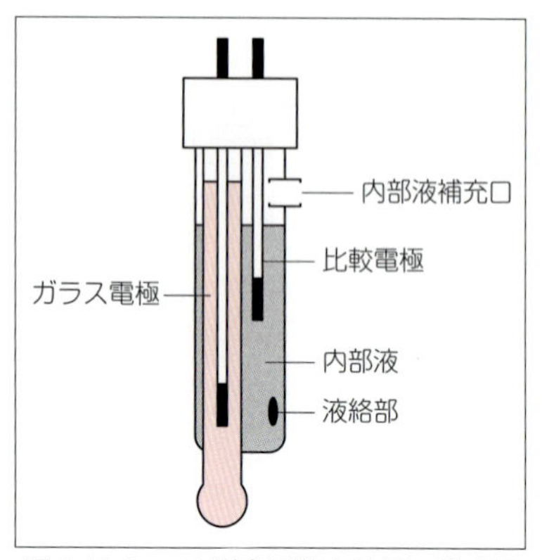

図 2-K-2　pH 測定用複合電極の模式図

が異なる（不斉電位）ため，校正を行う必要がある．

②校正には温度変化が明確な 2 種類の pH 標準液を用いる．シュウ酸塩標準液（25℃で pH 1.68），フタル酸塩標準液（25℃で pH 4.01），中性リン酸緩衝液（25℃で pH 6.86），ホウ酸塩標準液（25℃で pH 9.18）がある．

③一般的には pH7 標準液（中性リン酸緩衝液）をゼロ点とし，pH4 標準液（フタル酸塩標準液）または pH9 標準液（ホウ酸塩標準液）でスパン校正を行う．

④被検液が酸性の場合は pH4 標準液，アルカリ性の場合は pH9 標準液を使用し，より酸性，あるいはアルカリ性の場合は，pH2 標準液（シュウ酸塩標準液），pH10 標準液（ホウ酸塩標準液）を使用する．使用する際には，長期保管した標準液は pH が変化している可能性があるため，新しい標準液の値と比較し確認する必要がある．

スパン校正

pH は電極電位から求めますが，ガラス電極は理論値と一致しません．このため，pH4 または pH9 の標準液を用いて理論値との差を補正します．これをスパン校正といいます．

③ 使用上の注意点

①pH メータの校正では，標準液の温度は被検液の温度に±1℃以内で一致させる．一度使用した標準液は廃棄し，再使用はしない．
②ガラス電極で長く乾燥状態であった電極は，使用前に 12 時間以上，精製水に浸けてから使用する．また，使用後の電極は水でよく洗浄し，短期間で使用する場合は精製水に浸け，長期間使用しない場合は水で湿らせたスポンジが入った保護キャップで保管する．
③比較電極の内部液は補充口の近くまで満たし，長期間使用しない時は内部液の補充口を閉じ，内部液の蒸発を防ぎ，塩化カリウムの濃縮や結晶化を防ぐ．

P_{CO_2}電極

①P_{CO_2}電極は隔膜型炭酸ガス電極を用い，炭酸ガスが隔膜を通過し，内部液に溶解することで，内部液の pH が変化する．
②この pH の変化と炭酸濃度は比例関係にあることから，pH メータと同様に電位差を利用することで炭酸濃度を測定する．

P_{O_2}電極

酸素電極には，隔膜型ガルバニ電池式電極と隔膜型ポーラログラフ式電極（クラーク型電極）がある．

1．隔膜型ガルバニ電池式電極

(1) 構成

①作用極には電解液に溶出しない貴金属，対極に電解液に溶出する卑金属が用いられ，酸素を透過する隔膜により内部液（水酸化カリウム）と被検液を遮断している．
②貴金属には銀（Ag），卑金属には鉛（Pb）が用いられることが多い．

(2) 原理

①Pb は溶解し電子を作用極に供与する．供与された電子で酸素が還元され，電流を発生させる．
②この電流は酸素濃度と比例するため，電流計により酸素濃度を算出することができる．

2．隔膜型ポーラログラフ式電極（クラーク型電極）

(1) 構成

①隔膜型ポーラログラフ式電極（クラーク型電極）の構成は，作用極に白金（Pt），対極に銀–塩化銀（Ag–AgCl）が用いられ，酸素を透過する隔膜により内部液（塩化カリウム）と被検液を遮断している．

(2) 原理

①作用極から対極に電圧を印加すると，銀が電極に電子を与え塩化物イオンと反応し，塩化銀となる．酸素は電極から供与された電子により還元され，水酸化物イオンになる．

②流れる電流が酸素濃度に比例するため，電流計により酸素濃度を算出することができる．

血液ガス分析装置

①動脈血液中の酸素分圧（Po_2），炭酸ガス分圧（Pco_2）および pH の測定を行う．

②酸素分圧（Po_2）は酸素電極，炭酸ガス分圧（Pco_2）は隔膜型炭酸ガス電極（セベリングハウス電極），pH はガラス電極で測定する．

セルフ・チェック

A 次の文章で正しいものに○，誤っているものに×をつけよ．

	○	×
1. 比較電極の内部液は塩化ナトリウム溶液である．	□	□
2. ガラス電極を用いた pH 測定では温度補償が必要である．	□	□
3. ガラス電極を用いた pH 測定では pH 標準液により校正する必要がある．	□	□
4. pH メータは指示電極と比較電極の電位差を測定する．	□	□
5. 校正に用いられる pH2 の標準液はホウ酸塩標準液である．	□	□

B

1．pH メータで用いる電極はどれか．2 つ選べ．

□ ① 隔膜型ガルバニ電池式電極
□ ② セベリングハウス電極
□ ③ クラーク型電極
□ ④ ガラス電極
□ ⑤ 水素電極

A 1−×（塩化カリウム溶液），2−○（ガラス電極に発生する起電力は，被検液の温度によって変化するため温度補償が必要），3−○，4−○，5−×（pH2 はシュウ酸塩標準液，ホウ酸塩標準液は pH10）

B 1−④と⑤（①：P_{O_2}電極，②：P_{CO_2}電極，③：P_{O_2}電極），

2．pH メータで用いる水素イオン濃度と電位の関係を表すのはどれか．

☐　① ステファンボルツマン（Stefan-Bolzmann）の法則
☐　② ボイル・シャルル（Boyle-Charles）の法則
☐　③ ネルンスト（Nernst）の式
☐　④ ベルヌーイ（Bernoulli）の式
☐　⑤ ピエゾ効果

3．pH 標準液のうち，pH1.68（25℃）のものはどれか．

☐　① シュウ酸塩標準液
☐　② フタル酸塩標準液
☐　③ ホウ酸塩標準液
☐　④ 炭酸緩衝液
☐　⑤ 酢酸緩衝液

B　2-③，3-①

L 純水製造装置

学習の目標

- □ 純水
- □ 比抵抗
- □ 電気伝導率
- □ 蒸留法
- □ 脱イオン法
- □ 逆浸透法（RO 法）

1 純水とは

①純水とは，原水からイオン，有機物，微粒子などの不純物のいずれか，またはすべてをある程度除いた比抵抗の高い水をいう．

②電流が流れる溶液の断面積および長さをそれぞれ1 cm^2，1 cm とするとき，この溶液が示す抵抗を比抵抗（ρ）といい，溶液の電流の流れにくさの指標である．

$R=\rho\times L/A$

[R：抵抗（Ω），ρ：比抵抗（Ω・cm），L：長さ（cm），A：断面積（cm^2）]

③比抵抗の逆数を電気伝導率（κ）といい，電流の流れやすさの指標である．

$\kappa=1/\rho$

[κ：電気伝導率（μS/cm）（S はジーメンスという），ρ：比抵抗（Ω・cm）]

④水の理論的な比抵抗は，18.24 MΩ・cm である．

2 純水製造装置

①水の品質は検査結果に影響するため，用途に合わせた水を選択する必要がある．

②純水製造装置は，水に含まれるイオン，有機物，微生物などの不純物を除去する装置である．除去する方法は，蒸留法，脱イオン法，連続再生式電気脱イオン法（EDI 法），逆浸透法（RO 法）があり，通常これらを組み合わせて純水を製造する（図 2-L-1）．

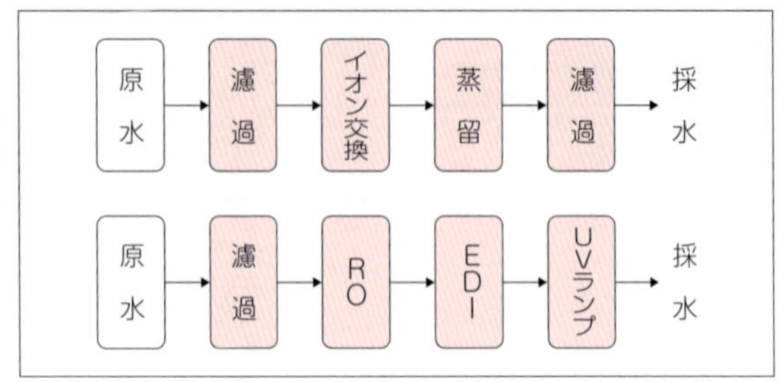

図 2-L-1　純水製造工程例

原理および方法

1．蒸留法

①蒸留法とは，水を沸騰させることで生じる水蒸気を冷却することによって純水を得る方法である．

②得られる水を蒸留水という．

③蒸留法は多量の水と熱エネルギーを必要とするため，維持費が比較的高い．

2．脱イオン法

(1) イオン交換法とは

①イオン交換とは，解離基を有する不溶性物質と溶液中のイオンが可逆的にイオンを交換する現象をいい，イオン交換する不溶性物質をイオン交換体という．

②このイオン交換を利用した純水の精製方法を脱イオン交換法という．

③イオン交換法は，理論純水に近い比抵抗まで精製できるが，非イオン化物質や微生物の除去は困難である．

(2) イオン交換樹脂の種類と特徴

①イオン交換に用いられるイオン交換樹脂は高分子化合物の基質と交換基からなる．

②陽イオン交換樹脂は，スルホン基やカルボキシル基などをもち，電離により水素イオンを交換することができる．この樹脂は水素イオンと溶液中の陽イオンを交換することができる．

③陰イオン交換樹脂は，第四級アルキルアンモニウム基などをもち，電離により水酸化物イオンを生成する．この樹脂は結合して

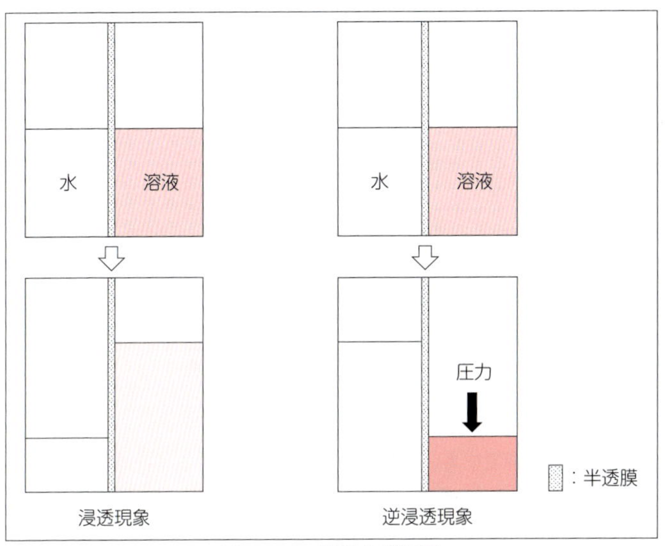

図 2-L-2　浸透と逆浸透

いる水酸化物イオンと溶液中の陰イオンを交換することができる．

④解離度が大きい樹脂は使用可能な pH 範囲が広く，解離度が小さい樹脂は使用可能な pH 範囲が狭い．

(3) イオン交換樹脂の再生

①イオン交換樹脂は使用するほどイオン交換能力が低下するが，イオン交換反応は可逆反応であるため，交換反応により樹脂に結合した Na^+ や Cl^- は，HCl 溶液や NaOH 溶液と平衡させることで元の H 型や OH 型に戻り，イオン交換樹脂は再生する．

②ただし，樹脂には寿命があり定期的に交換する必要がある．

(4) 連続再生式電気脱イオン法（electro deionization；EDI）

・イオン交換膜とイオン交換樹脂を組み合わせ，電気的にイオン交換樹脂を再生しながら純水を製造する．

3．逆浸透法

①逆浸透膜（reverse osmosis 膜；RO 膜）とよばれる半透膜を用いた物質分離法である．

②半透膜を透過しない溶質と透過性を有する溶媒でつくられた溶液を用い，半透膜を介し濃度の異なる溶液が接すると，濃度の低い

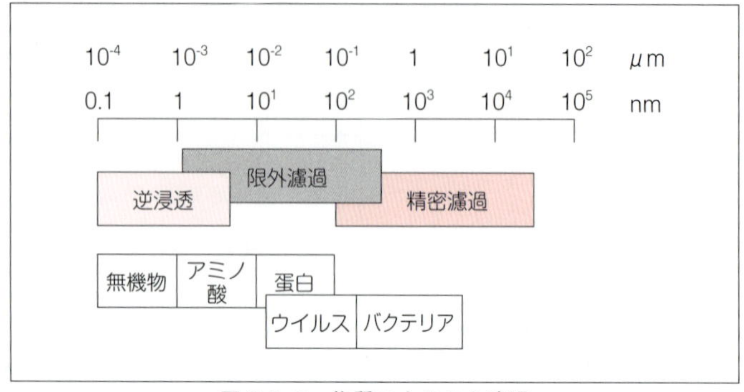

図 2-L-3　物質の大きさと濾過

溶液から濃度の高い溶液へ溶媒のみが透過する（浸透現象）．このとき，濃度の低い溶液の水面は下がり濃度の高い溶液面は上昇し，高さに差が生じる．半透膜には水面と溶液面の高さの差に相当する圧力が生じ，この圧力を浸透圧という．溶液面が上昇した溶液に浸透圧よりも高い圧力を加えることで，溶媒を押し戻し，濃度の低い溶液の溶媒量を増やすことができる（逆浸透現象）（図 2-L-2）．これにより溶質（不純物）を除去し，純水を製造する．

③この原理により製造した純水を逆浸透水（RO 水）という．

④逆浸透法で用いる半透膜は，大きさがウイルス（0.02〜0.4 μm）やバクテリア（0.2〜1 μm）よりも小さい 0.0001 μm 程度の微細孔を有し，この膜の分子レベルの濾過により不純物を除去する（図 2-L-3）．

セルフ・チェック

A 次の文章で正しいものに○，誤っているものに×をつけよ．

	○	×
1. 純水製造の前処理として活性炭による吸着法が用いられる．	□	□
2. 水の純度が高いほど電気伝導率は高くなる．	□	□
3. イオン交換樹脂のイオン交換反応は不可逆である．	□	□
4. 電気伝導率は比抵抗の逆数で表すことができる．	□	□
5. UV による殺菌では 260 nm 付近のランプを用いる．	□	□

B

1．純水製造処理において水の比抵抗が最も高くなるのはどれか．

□ ① 活性炭素吸着装置
□ ② イオン交換装置
□ ③ 除菌フィルタ
□ ④ UV 殺菌装置
□ ⑤ 逆浸透装置

A 1−○，2−×（電気伝導率は低くなる），3−×（イオン交換反応は可逆反応である），4−○，5−○

B 1−②（①，③：不純物を除去する．④：菌の増殖を抑える．⑤：微生物のほか，金属イオンや塩素も除去できるが，イオン交換ほど比抵抗は高くならない）

M　遺伝子検査装置

学習の目標

- □ 核酸抽出装置
- □ 核酸増幅装置
- □ 等温度核酸増幅装置
- □ 核酸の分離・検出
- □ サーマルサイクラー
- □ ブロッティング装置
- □ リアルタイム PCR 装置
- □ シークエンサー

核酸の検出は，核酸の抽出，増幅，分離，検出の工程で行われ，工程ごとに機器を使い分けて行う（図 2-M-1）．

分離の工程では，電気泳動装置を用いて分子量を確認することで，目的の核酸が増幅されたと考える．しかし，リアルタイム PCR のような機器では，PCR 産物の蛍光強度を用いて増幅を確認するため，分離が必ずしも必要ではない．

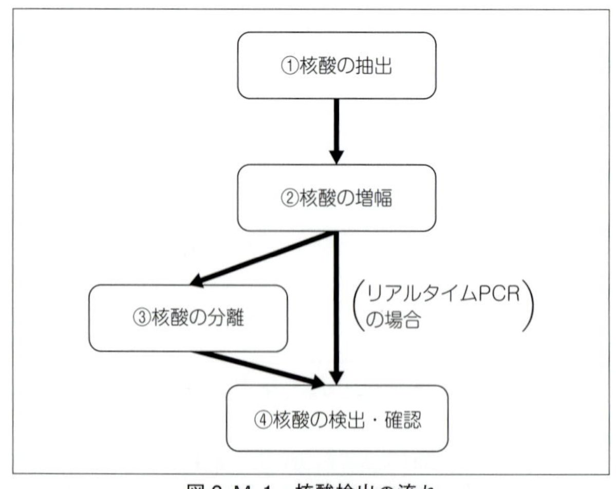

図 2-M-1　核酸検出の流れ

核酸抽出装置

①陰イオン交換樹脂やシリカまたはガラスのフィルタメンブレンにDNAやRNAを吸着させ，溶出させる固相抽出法が用いられる．フィルタ以外にも磁性シリカビーズで吸着させる方法もある．
②核酸抽出装置の処理の流れは，試料を溶解し，フィルタメンブレンに吸着させる．次にフィルタメンブレンを洗浄し，不要な成分を除去後，目的の核酸を溶出させる．
③核酸抽出装置を用いることで，用手法に比べ短時間で大量のサンプルを処理することができる．

核酸増幅装置

1．核酸増幅装置の特徴

①核酸増幅装置は，抽出した核酸を増幅するための装置である．
②PCR装置とよばれ，PCR（polymerase chain reaction：ポリメラーゼ連鎖反応）法によりDNAの複製をし，数を増やす（増幅）．
③RNAの場合は，逆転写反応によりcDNA（相補的DNA）を合成して，これを鋳型としてPCR法を行う［RT-PCR法（reverse transcription-PCR法）］．
④PCR法は，a～cを繰り返すことで，DNAを増幅することができる．

a. 熱変性：抽出したDNAに熱（94℃*）を加えることで，二本鎖DNAは一本鎖DNAになる．

b. アニーリング：温度を下げる（55℃*）とプライマーが結合する．

c. 伸長反応：温度を上げる（72℃*）ことで，ポリメラーゼによりプライマーの結合部位から相補的に塩基配列が伸長し，二本鎖DNAになる．

*：熱変性の温度やプライマーを結合させる温度は，DNAの長さやプライマーにより異なる．

⑤各反応中は温度を一定に保つ必要があるため，温度をモニターするためのセンサが備わっている．
⑥サーマルサイクラーともいう．反応ごとに温度を変化させるため，ヒートブロック装置を備える．

⑦核酸増幅装置は，増幅時に温度の上昇と下降を繰り返し行う必要があるため，温度と時間を設定する必要がある．

2．等温度核酸増幅装置

①LAMP（loop-mediated isothermal amplification）法では，温度を変化させず一定の温度に設定し，増幅を行うため，等温度核酸増幅装置を用いる．

②PCR法では二本鎖DNAから一本鎖DNAにする際に熱を加え変性させる必要があるが，LAMP法では使用する耐熱性鎖置換型DNAポリメラーゼ自身が二本鎖DNAの水素結合を解離させ，新しいDNA鎖を合成することができるため，温度を変化させず，一定の温度で核酸の増幅が可能となる．

核酸の分離・検出

増幅した核酸の分離や検出には，以下のような分離分析装置や測光装置を用いる．

1．分光光度計

①分光光度計を用いて核酸溶液の紫外線での吸光度を測定し，増幅した核酸の濃度を求める．

②核酸濃度の求め方

DNAの濃度（μg/mL）＝260 nmでのOD値（吸光度）×50
RNAの濃度（μg/mL）＝260 nmでのOD値（吸光度）×40
これに希釈倍率を乗じ，希釈前の核酸溶液の濃度とする．

③「260 nmでのOD値/280 nmでのOD値」を計算し，1.8〜2.0であれば核酸の純度が高く，1.8より低い場合は蛋白質や抽出試薬のコンタミネーションが考えられる．

2．電気泳動装置

①電気泳動装置は，増幅した核酸の電気泳動を行い，目的の核酸を確認するために用いる．

②ゲルには，アガロースゲルやポリアクリルアミドゲルを用いる（→p29〜「D-1 電気泳動法」参照）．

③短いDNA断片（100 bp以下）では，アガロースゲルによる分離を行うとバンドが太くなり，サイズの異なるバンドとの区別がつきにくいため，ポリアクリルアミドゲルを用いる．

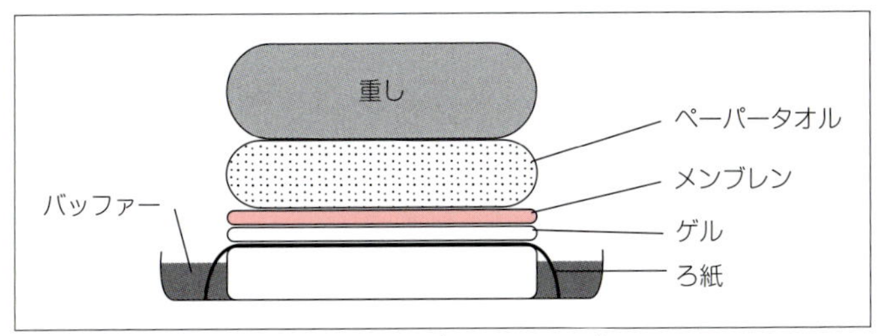

図 2-M-2　ブロッティング

3．ブロッティング装置

①電気泳動したゲルは，ニトロセルロース膜やPVDF（poly vinylidene difluoride)膜などのメンブレンに核酸を転写し，ブロッティングを行う．

②バッファー，ろ紙，ゲル，メンブレン，ペーパータオルの順に置き，重しを載せる．ペーパータオルがバッファーを吸い上げることにより，ゲルからメンブレンに核酸が移動し，転写することができる（図 2-M-2）．

③高分子のDNAを短時間で転写したい場合や，蛋白質の転写では，核酸がマイナスの電荷をもっていることを利用し，電圧をゲルにかけることで，メンブレンに転写するブロッティング装置を用いる．

④ブロッティング後，メンブレンと標識プローブをハイブリダイズさせて，バンドを検出する（サザンブロット法：DNA，ノザンブロット法：RNA）．

4．トランスイルミネーター（写真撮影装置）

①泳動したゲルを蛍光染色試薬で染め，光を当てることで発する蛍光を観察する装置である．

②光にはUV（紫外線）や可視光線を使うものもある．

③明るさなどを調整したのち，付属のカメラで撮影し，写真にプリントあるいはデジタルデータにすることができる．

④紫外線による撮影の場合は，紫外線の照射により目や皮膚の炎症を引き起こすため，直接目視せず，ゴーグルを装着し，肌の露出を避け，手袋をする必要がある．

⑤エチジウムブロマイドを蛍光試薬として使用する場合は，発がん

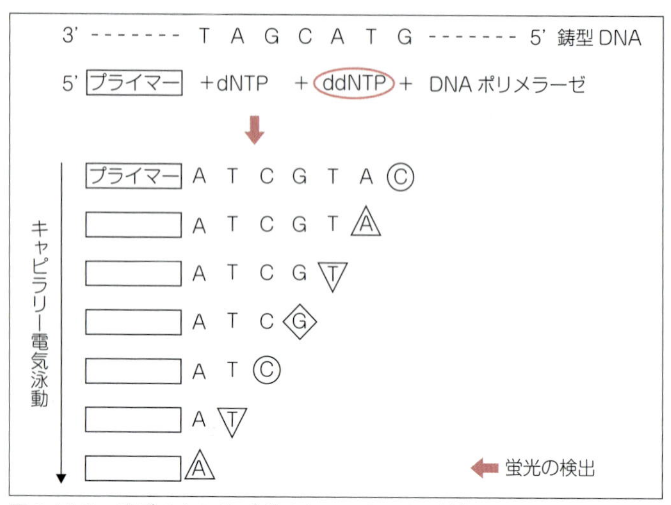

図 2-M-3　ジデオキシ法（ダイターミネーター法）によるシークエンス解析の原理

囲み文字は蛍光標識された ddNTP を示す.
（東田修二：最新臨床検査学講座　遺伝子・染色体検査学　第 2 版．医歯薬出版，2021，p91）

性があるため，同様にゴーグルや手袋をする．

⑥紫外線は DNA に損傷を与えるため，長時間のゲルへの照射は避ける．

5．リアルタイム PCR（real-time PCR）装置

①リアルタイム PCR 装置は，核酸の増幅と検出を同時に行う機器である．

②分光蛍光光度計により PCR 産物量を測定し，検量線から濃度を求める．

③蛍光強度で PCR 産物を確認するため，基本的にゲル電気泳動による分離を行う必要はない．

④蛍光を発する原理には，DNA 結合色素（インターカレーション）法，ハイブリダイゼーションプローブ法，TaqMan プローブ法がある．

6．全自動核酸抽出増幅検査システム

①核酸抽出・増幅・検出の各工程単独に行う機器が多いが，検体を投入後，すべての工程を 1 つの機器で行う検査装置が全自動核酸

抽出増幅検査システムである．

②各工程間のヒトによる操作を省くことができ，検査のワークフローの効率性を高めることができる．

7．シークエンサー

①DNA の塩基配列を読み取る装置である．

②ジデオキシ法による直接塩基配列決定法（図 2-M-3）

a. ターミネーターの 4 種類の塩基（ddNTP）に異なる蛍光色素を標識しておく（ダイターミネーター法）．

b. 次に増幅する際，ターミネーターによって停止したさまざまな長さの DNA 断片が生じる．この DNA 断片の末端には，対応した標識された塩基が結合していることになる．

c. これをキャピラリー電気泳動を用いて泳動を行うと，増幅された長さ順に泳動され，この蛍光色を確認することで，塩基の配列を確認することができる．

セルフ・チェック

A 次の文章で正しいものに○，誤っているものに×をつけよ．

	○	×
1. 核酸の抽出には磁性シリカビーズを用いる．	□	□
2. DNA の濃度は，260 nm での吸光度を測定することで算出できる．	□	□
3. トランスイルミネーターはゲルをメンブレンへ転写する装置である．	□	□
4. リアルタイム PCR は電気泳動を必要としない．	□	□
5. シークエンサーは核酸の分子量を測定する装置である．	□	□
6. UV トランスイルミネーターは，UV を長時間照射する必要がある．	□	□
7. アガロース電気泳動は，100 bp 以下の低分子の核酸を調べるときに用いる．	□	□

A 1-○，2-○，3-×（ゲルの蛍光を確認する装置），4-○，5-×（塩基配列を調べる装置），6-×（短時間で行う），7-×（ポリアクリルアミド）

8. リアルタイム PCR 法には LAMP 法がある. □ □
9. アニーリングは二本鎖 DNA を一本鎖 DNA にすることである. □ □
10. ジデオキシ法は核酸抽出に用いる. □ □

B

1. サーマルサイクラーの役割はどれか.
□ ① 検体保管
□ ② 核酸増幅
□ ③ 核酸分離
□ ④ 滅菌処理
□ ⑤ 蛋白質溶解

2. サーマルサイクラーを**用いない**測定法はどれか.
□ ①PCR 法
□ ②LCR 法
□ ③LAMP 法
□ ④RT–PCR 法
□ ⑤real–time PCR 法

3. 核酸の増幅が行われるのはどれか.
□ ①ブロッティング装置
□ ②サーマルサイクラー
□ ③フローサイトメーター
□ ④トランスイルミネーター
□ ⑤ポリアクリルアミド電気泳動装置

8–× （DNA 結合色素法など), 9–× （熱変性), 10–× （シークエンサー）

B 1–② （③：核酸分離には電気泳動装置を用いる), 2–③ （②：LCR 法は耐熱性リガーゼを用いる方法でサーマルサイクラーを使用する. ③：LAMP 法は, 温度を変化させない等温度核酸増幅装置を用いる), 3–② （①：ゲルからメンブレンへの転写, ③：血球の分離, 数のカウント, ④, ⑤：増幅した核酸の分離に用いる）

N　POCT（臨床現場即時検査）

学習の目標

- □ POCT の定義
- □ POCT 対応機器
- □ POCT 対応試薬
- □ 携帯型生理機能検査装置
- □ POCT の利点と問題点

POCT とは

近年，POCT（Point of Care Testing）が注目され，さまざまな検査機器が開発されている．

POCT とは「被検者の傍らで医療従事者が行う検査であり，検査時間の短縮および被検者が検査を身近に感ずるという利点を活かし，迅速かつ適切な診療・看護・疾病の予防，健康増進等に寄与し，ひいては医療の質，被検者の QOL（quality of life）および満足度の向上に資する検査である」（日本臨床検査自動化学会：POCT ガイドライン第 3 版，2013）．

すなわち POCT とは，診療所，在宅，病院の診察室，ベッドサイド，手術室，ICU など，いつでも，どこでも簡単にそして迅速に行える検査である．

POCT の検査項目

検査項目は年々増加し，血糖値，HbA1c，トロポニン，ミオグロビン，CK–MB などの臨床化学検査のほか，感染症の検査，血液検査，ホルモン検査など，また生理機能検査においては機器の小型化により心電計，超音波計などポケットサイズの機器が開発されている（表 2–N–1）．

POCT 対応機器（ポータブル分析装置）

1．目的

緊急検査室を擁する施設であっても医師が緊急の検査をオーダーしてから結果出るまでは 1 時間以上もかかってしまうが，POCT を用い

表 2-N-1　POCT による検体検査項目

分野		検査項目
血液一般		白血球数，赤血球数，Hb，Ht，血小板数など
凝固関連		PT/INR，APTT，ACT，TT など
小型生化学		ドライケミストリ法，カセット・カートリッジ式ウエット法など
血液ガス		pH，PCO_2，PO_2，Lactate，Ketone など
電解質（血液・尿）		Na，K，Cl，Ca，Mg
糖尿病関連		血糖，HbA1c，尿中アルブミンなど
脂質関連		TC，HDL-C，TG など
心疾患関連		トロポニン T，トロポニン I，CK-MB，ミオグロビン，H-FABP など
透析関連		BUN，クレアチニンなど
新生児関連		ビリルビン，TSH，PKU，G-6-PD，ガラクトース，17-OHP など
甲状腺関連		TSH など
血液型・輸血		A，B，Rh（D），クームスなど
腫瘍マーカー		PSA，AFP，CEA，フェリチンなど
アレルギー関連		IgE，各種アレルゲンなど
妊娠関連		LH，hCG，FreeβhCG，PAPP-A，uE3 など
尿・糞便		試験紙定性，比重，便潜血など
脳脊髄液		細胞数，TP，Lactate，病原菌スペクトルなど
薬毒物		DOA（10 種パネルなど）各種，アルコール，TDM 各種など
感染症	ウイルス感染症	HBs 抗原，インフルエンザウイルス抗原，ロタウイルス抗原，アデノウイルス抗原，ノロウイルス抗原，ムンプスウイルス抗原，水痘・帯状疱疹ウイルス抗原，サイトメガロウイルス抗原，単純ヘルペスウイルス抗原，SARS 抗原 HBs 抗体，HCV 抗体，HTLV-1 抗体，HIV 抗体，EBV 抗体，RS ウイルス抗体，風疹ウイルス抗体，麻疹ウイルス抗体，エンテロウイルス抗体，SARS 抗体，テングウイルス抗体
	細菌感染症	肺炎球菌抗原，A 群・B 群溶血性レンサ球菌抗原，淋菌抗原，レジオネラ抗原，結核菌抗原，大腸菌 O157 抗原 破傷風菌抗体，マイコプラズマ抗体，ヘリコバクター・ピロリ抗体 大腸菌ベロ毒素，クロストリジウム・ディフィシル毒素（toxin A・toxin B）
	クラミジア感染症	クラミジア抗原
	スピロヘータ感染症	梅毒 TP 抗体
	原虫感染症	マラリア抗体，トキソプラズマ抗体

（日本臨床検査自動化学会 POCT ガイドライン第 3 版，2013）

ることでその時間を数十分以内に短縮することができる．携帯型分析装置では，検体を運搬することなくベットサイド，診察室，救急処置室などで測定できる．その結果は刻々変化する患者の病態を反映するもので，治療を施す医師にとって重要な診療の補助となる．さらにPOCT対応機器は，一般的に血清分離の必要はなく全血のまま検査できるため，時間の短縮にもつながる．

2．種類

POCTには卓上型分析装置と携帯型分析装置がある．POCTは小型で持ち運びが可能な機器・試薬だけをいうのではなく，それらを用いて検査を行うシステム全体をさす．そのためPOCT機器と検査室のネットワーク化が重要となり，精度管理の把握や測定結果の検証など管理，運営面での臨床検査技師の真価が問われる．

(1) 卓上型分析装置

①HbA1cやBNP，Dダイマー，プロカルシトニン，フィブロネクチンなど生化学検査が主な検査項目である．

②測定法はドライケミストリ法と液体法があり，ほとんどがディスポーザブルのカートリッジ試薬となっている．

(2) 携帯型分析装置

①ポータブル血液分析器として，全血を2～3滴注入したディスポーザブルのカートリッジを分析器に挿入するだけで約5分で結果が得られる．

②電源はバッテリーあるいはリチウム電池で駆動する．

③電解質，ヘマトクリット，BUN，グルコースなどが測定可能である．

3．注意点

①カートリッジ試薬を用いるため，精度保証のために試薬のロット管理が必要である．

②カートリッジの保管（温度，湿度），使用期限を管理する．

③測定時の気温，振動，水平性，外光などにより誤差を生じる可能性があるため注意が必要である．

② POCT対応試薬（迅速診断キット）

1．目的

POCT対応試薬が用いられているのは感染症の検査，心筋マーカー，ホルモン，薬物などの検査で，原理はイムノクロマトグラフィ法やLAMP法が用いられている．

感染症の検査は培養の必要がなく数十分以内で検査結果が出るため，すぐに治療に活かすことができる．インフルエンザ，市中肺炎，小児感染症，性感染症（STD）などに取り入れられている．

また，急性心筋梗塞の検査であるトロポニンTや心臓型脂肪酸結合蛋白（H-FABP）も測定される．

2．種類

免疫学的検査法である抗原抗体反応を用いたイムノクロマトグラフィ法と，結核菌やマイコプラズマ，インフルエンザ，レジオネラなどの検出を目的としたLAMP法がある．

①イムノクロマトグラフィ法：試料を滴下部に滴下すると毛細管現象によりセルロース膜を流動する間に免疫反応が起こる．特定抗原と金コロイドやラッテクス粒子が結合した標識抗体が反応して着色ラインとなって陽性を確認できる．

②LAMP法：遺伝子増幅法で，増幅産物を目的とする遺伝子配列と照らし合わせることで，微生物の同定を短時間で行うことができる．

3．注意点

①目視による判定には視認感度にばらつきが生じる．目視法の代わりにデンシトメトリー法による客観的な判定方法が導入されている．

②検査キットの保管（温度，湿度），使用期限を管理する．

③ 携帯型生理機能検査装置

1．目的

心電図記録装置，超音波診断装置，パルスオキシメータ（経皮酸素飽和度測定装置）などの生理機能検査装置は小型化され，医療の現場のみならず，災害の現場でも有用性が確かめられている．熊本地震（2016年）の際には，深部静脈血栓症（DVT）の早期診断・予防活動に携帯型超音波診断装置が使用され効果を上げた．

2．種類

(1) 携帯型心電計

①被検者が携帯して，いつでもどこでも心電図をとることができる（図2-N-1）．

②心電図の結果を伝送して解析する電送式のものと，データを記録

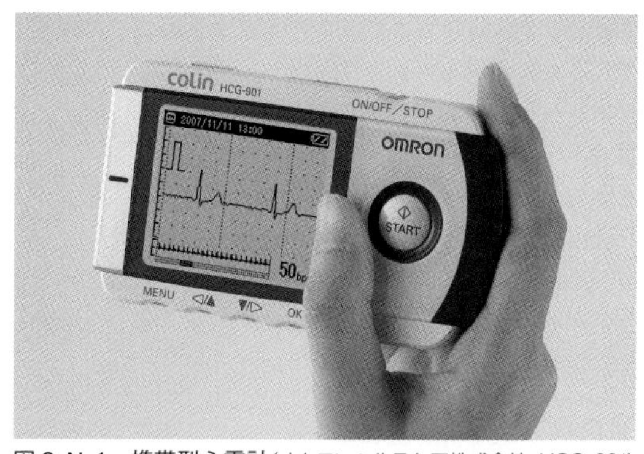

図 2-N-1　**携帯型心電計**（オムロンヘルスケア株式会社：HCG-901）
両端が電極（指電極，胸部電極）となっており，被検者が心電計を片手にもち素肌の胸部にあてて心電図を記録する．外部電極も使用可能．

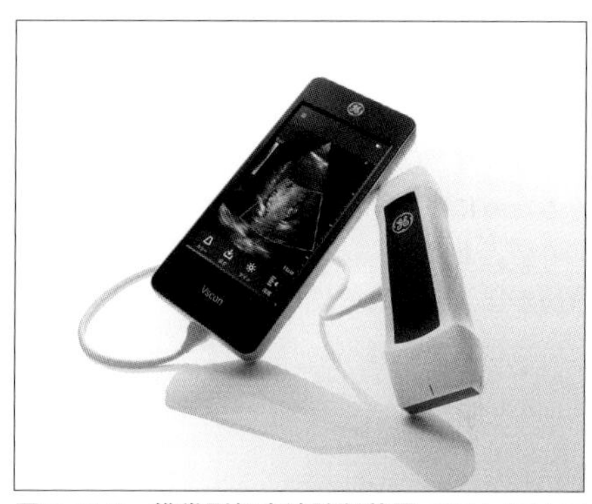

図 2-N-2　**携帯型超音波診断装置**（GE ヘルスケアジャパン株式会社：Vscan Extend Dual Probe）
500 g 以下と小型で，ディスプレイと 1 つのプローブの両端にセクタ探触子とリニア探触子を備えている．

して心電計に保存し後から解析するものがある．

③電源は電池式で数百回の使用が可能である．

(2) 携帯型超音波診断装置

①腹部や表在性臓器を対象としたものがあり，ディスプレイと探触子で構成される．

②500 g 以下の小型の装置でリニアとセクタの 2 つの探触子を搭載しているものもある（図 2–N–2）.
③バッテリー駆動で約 1 時間の使用が可能である.

3．注意点

①超音波トランスデューサを水につけると感電する恐れがある.
②超音波出力はできるだけ低レベルにすること.
③携帯型心電計は患者のセルフモニタリングとして使用されることが多いため，使用方法の十分な説明が必要である.

POCT の利点と問題点

臨床検査は，診断の補助として医師が正確に診断するための材料として発展してきた．そのため他の医療職種に比べ治療に参画することが少なかったが，この POCT を活用しチーム医療の一員として治療に貢献することが可能になると思われる.

POCT は簡易的に検査ができるという利点があるが，検査を熟知しない者でも行うことができるという点に問題がある．検査に精通しない者が行うと検査の質が保証されないため，診断に影響を及ぼす可能性がある．そのため，精度管理や機器・試薬の管理，トラブル時の対応，医療過誤の防止と対応，異常値への対応など，検査の専門家として臨床検査技師が担う役割は重要である.

セルフ・チェック

A 次の文章で正しいものに○，誤っているものに×をつけよ．

	○	×
1. POCT 機器は持ち運び可能な機器をいう．	□	□
2. POCT は患者の傍らで検査を行う．	□	□
3. POCT では検査時間の短縮は見込まれない．	□	□
4. イムノクロマトグラフィ法は HPLC を使用する．	□	□
5. LAMP 法は免疫学的検査法の一つである．	□	□
6. POCT 機器は精度管理の必要がない．	□	□

B

1．POCT〈ポイント・オブ・ケア・テスティング〉対応機器の特徴として**誤っている**のはどれか．

□ ① 患者が自ら操作する．
□ ② ポータブル機器が多い．
□ ③ 検査結果が迅速に得られる．
□ ④ メンテナンスが容易である．
□ ⑤ 簡単な訓練で使用可能となる．

A 1−×（持ち運び可能な機器だけではなく，卓上型でも簡便な機器が含まれる），2−○，3−×（POCT の最大の利点は検査時間の短縮），4−×（イムノクロマトグラフィ法は試料がセルロース膜を流動する間に起こる免疫反応を利用したもの），5−×（遺伝子増幅法の一つ），6−×（検査の質を保証するために精度管理を行うことが最も重要である）

B 1−①（POCT とは医療従事者が被検者の傍らで行う検査で，自己血糖検査などの患者自身が行う検査は含まない）

索　引

和　文

あ

い

う

え

お

か

欧　文

ポケットマスター臨床検査知識の整理
検査機器総論　第2版　　ISBN978-4-263-22424-3

2018年10月5日　第1版第1刷発行
2022年2月10日　第2版第1刷発行

編　者　新臨床検査技師
教育研究会

発行者　白　石　泰　夫

発行所　医歯薬出版株式会社
〒113-8612　東京都文京区本駒込1-7-10
TEL (03) 5395-7620(編集)・7616(販売)
FAX (03) 5395-7603(編集)・8563(販売)
https://www.ishiyaku.co.jp/
郵便振替番号 00190-5-13816

乱丁，落丁の際はお取り替えいたします．　印刷・三報社印刷／製本・明光社